La Madone des Sleepings

MAURICE DEKOBRA

La Madone
des Sleepings

ÉDITIONS FRANCE LOISIRS

Édition du Club France Loisirs,
avec l'autorisation des Éditions Zulma

Éditions France Loisirs,
123, boulevard de Grenelle, Paris
www.franceloisirs.com

© Zulma, 2006.
ISBN : 978-2-298-013887

1

Lady Diana Wynham avait allongé sur un cube de velours havane ses jolies jambes, moulées dans les fuseaux arachnéens de deux 44 fin. Son buste était caché derrière le paravent blanc du *Times* éployé entre ses bras nus. Ses petits pieds s'agitaient dans leurs souliers de brocart cerise et argent et menaçaient l'équilibre d'une tasse en pur Wedgwood, tangente à sa cheville nerveuse.

— Gérard! s'écria-t-elle. Je veux consulter le *professor* Traurig.

Je venais d'écraser un morceau de sucre avec le dos de la petite cuiller d'or aux armes des ducs d'Inverness. Attentif à satisfaire les désirs de Lady Diana, j'éloignai de mes lèvres son mauvais café – le café trop noir et trop amer qu'on déguste à Londres dans des tasses moins grandes que des œufs de pluvier – et je répondis :

— Rien n'est plus facile... Je vais téléphoner au Ritz.

— Je vous en prie, Gérard.

Le téléphone, dans le boudoir, était caché sous un écrin vertical, aux portes ogivales, enluminées comme un missel. J'auscultai le récepteur qui m'envoya le râle du standard. On me donna la communication.

— Allô! le professeur docteur Siegfried Traurig?... Monsieur le professeur, c'est le prince Séliman, secrétaire de Lady Diana Wynham, qui désire vous demander un rendez-vous pour une consultation urgente...

Une voix gutturale me répondit :

— Je recevrai Lady Wynham cet après-midi, à quatre heures.

— Merci, docteur.

Je transmis le message. Les cheveux blonds et le visage de Lady Diana surgirent derrière le parapet de papier, un visage pur et classique de déesse, amaigri par l'abus des veillées nocturnes aux Ambassadeurs ou chez Cyro's. Une Diane à la biche, dont la biche n'était d'ailleurs qu'un pékinois hargneux aux gros yeux de dorade morte, sous un petit crâne plat de crétin. Mais à quoi bon décrire la beauté de Lady Diana que chacun peut apprécier en ouvrant le *Tatler* ou le *Bystander*? Tous les mois, les revues mondaines publient des photographies d'art où l'on voit Lady Diana Wynham jouant au golf, baisant la bajoue d'un bull de six semaines, pilotant une Rolls-Royce, tirant des *grouse* sur les moors d'Écosse, ou arpentant, en sweater blanc, les terrasses de Monte-Carlo.

On dit communément à Paris que lorsqu'une Britannique est belle, elle est très belle. Lady Diana ne s'inscrit point en faux contre ce truisme

esthétique. Accordons à cette madone préra-
phaélite, que monsieur John Ruskin eût admirée, qu'elle est très belle au regard de ceux qui
aiment les ovales un peu allongés, les lèvres sen-
suelles et le bleu limpide et trompeur de deux
grands yeux clairs festonnés de cils drus.

— Vous m'accompagnerez, dit-elle. Si! Si!
Gérard! Je tiens à ce que vous assistiez à la
consultation de Traurig, car j'ai une raison
sérieuse de voir ce neurologue éminent... Je viens
de lire dans le *Times* une étude sur ses théories.
Je n'y ai rien compris du tout... Gérard, expli-
quez-les-moi. Vous serez un amour.

Expliquer les idées de Traurig! Autant démêler
les origines panthéistiques de la Batrachomyo-
machie ou démontrer le processus de l'intuition
spatiale avec les morceaux d'un mah-jong en
désordre. Depuis quelques années, le célèbre
docteur Siegfried Traurig, émule de Freud, fait
parler de lui dans les cénacles européens où l'on
creuse le moi avec le bédane de l'introspection et
où l'on cisèle les éléments de la volonté avec la
varlope de l'analyse psychopathique. On le dis-
cute. On l'imite. On le bafoue et on l'admire.

— Lady Diana, répliquai-je modestement, le
professeur se chargera de le faire mieux que moi
tout à l'heure... Vous lui montrerez votre âme toute
nue. Il prendra la tension artérielle de vos impulsions et la température de votre subconscient.

— Par où entre-t-on dans le subconscient?

— Comment, Lady Diana?

9

— Je veux dire, par quel orifice naturel a-t-on accès au moi ?

— Par une boutonnière morale, si j'ose parler ainsi... Par un sphincter invisible et qui clôt la baudruche de votre personnalité.

Lady Diana eut un rire, un rire harmonieux en *mi* naturel, composé d'une noire pointée et d'un arpège ascendant. L'hilarité de cette belle Écossaise est d'ailleurs un de ses charmes les plus prenants. Tandis qu'on voudrait posséder certaines femmes au milieu d'une crise de larmes, parce que leurs pleurs sont un aphrodisiaque, j'imagine qu'un dilettante déculperait le voltage de ses voluptés, s'il savait faire rire Lady Diana à point nommé. Je dis que je l'imagine parce que je n'ai jamais goûté à ce paradis artificiel. Je suis le secrétaire de cette grande dame depuis cinq mois. Je vis dans son intimité. Mais je n'ai jamais franchi le seuil de son alcôve. J'ai lu parfois à son chevet des pages de Chateaubriand, des vers obscènes de Lord Byron et les proses épicées de feu monsieur Jean Lorrain, mais je n'ai point illustré mes lectures de démonstrations concomitantes, ni cherché, sous le lin armorié de ses draps, l'épilogue des chapitres commencés.

⁓

À quatre heures précises, après cinq minutes d'attente dans un salon du Ritz, nous fûmes introduits auprès d'un vieillard vêtu de noir qui se présenta en claquant les talons et en inclinant la tête à 45 degrés :

— Docteur Funkelwitz, madame... fit-il avec un fort accent allemand. Je suis le premier assistant du maître qui a pu vous réserver une heure et va vous recevoir dans un instant.

— Merci monsieur, dit Lady Diana... D'ailleurs, si j'en crois la rumeur publique, le professeur Traurig est fort occupé depuis qu'il est à Londres.

— C'est exact, Milady... Deux princesses de la famille royale viennent de sortir de son cabinet. Ce soir, le maître recevra monsieur Lloyd George. Demain matin nous aurons Mary Tempest, le vice-roi des Indes et monsieur Charlie Chaplin.

Le docteur Funkelwitz énumérait fièrement ces noms célèbres. Ses propos furent interrompus par une sonnerie. Il disparut. Je me tournai vers Lady Diana et murmurai :

— On se croirait chez Barnum.

— Gérard ! Vous êtes cruel !... Vous ne respectez pas les réputations les plus assises.

— Surtout quand elles sont assises sur une chaise percée.

Le vieillard vêtu de noir reparut et nous fit signe de le suivre. Nous pénétrâmes dans un salon bouton d'or au milieu duquel le fameux professeur se dressait, immobile, derrière une table chargée de papiers et de livres.

Je n'avais jamais vu de portraits de Siegfried Traurig. Je lui avais attribué, dans mon esprit, la silhouette médiévale d'un nécromancien. Il nous aurait reçus drapé dans une robe de soie constellée d'étoiles et marquée aux équations de la kabbale que je n'en eusse pas été surpris. Mais l'imagination est le lièvre qui détale devant le lévrier de l'intelligence. Et je fus un peu déçu de ne point voir un Siegfried Traurig flanqué de chats hiératiques devant un trépied rempli d'orties, de sperme coagulé et de sang de batraciens...

Cet ancien *Privat-Dozent* de l'université d'Iéna est pourtant un personnage dont la radioactivité s'impose. Ses cheveux sont gris, hérissés en tête de loup sur un front dégagé et sillonné de rides. Son regard est inoubliable sous la broussaille épaisse des sourcils obliques. Un Méphistophélès en somme, habillé par un tailleur de Sackville Street. Il est grand, maigre comme un ascète et rasé. Ses lèvres sont fines sous un nez en bec d'oiseau de proie. Il s'exprime aussi bien en français et en anglais qu'en allemand.

Après les politesses d'usage, il nous introduisit dans son cabinet de travail, un salon du palace qui m'eût semblé banal si un singulier appareil électrique n'avait attiré mon attention.

La consultation allait commencer. Le professeur Traurig me regarda. Je compris son désir et je me disposais à me retirer, quand Lady Diana m'arrêta du geste :

— Non... non... je désire que le prince reste... Je n'ai rien de caché pour lui.

Le savant psychiatre s'inclina, offrit un fauteuil à sa jolie patiente et attendit qu'elle voulût bien lui exposer son cas.

— Docteur, commença Lady Diana, bien que je

sois trop profane pour apprécier vos célèbres travaux, j'ai été séduite par vos théories étranges, notamment sur la volonté, la sexualité et les dégénérescences. Ce n'est donc pas une malade proprement dite que vous avez devant vous, mais une femme bien portante qui désire, grâce à vous, élucider un point troublant. Il s'agit d'un rêve extraordinaire, un rêve qui me hante et m'inquiète.

— Fort bien, Lady Wynham. Mais avant de vous laisser continuer, permettez-moi de vous demander si les détails que je possède relativement à votre personnalité sont bien exacts.

Le professeur ouvrit un tiroir, prit une feuille et la déplia. Comme Lady Diana semblait intriguée, il expliqua :

— Je ne donne jamais de consultation avant d'avoir eu communication d'une note concernant mon patient et rédigée par un de mes secrétaires... Voici, madame, ce que la vôtre contient ; vous rectifierez, s'il y a lieu. « Lady Diana-Mary-Dorothea Wynham, née à Glensloy Castle (Écosse), le 24 avril 1897, fille unique du duc d'Inverness. Éducation sportive au collège de Salisbury. Mariée en 1916 avec Ralph-Edward-Timothy, Lord Wynham, G.C.B., K.C.M.C., K.C.V.O., ancien ambassadeur de S. M. britannique en Russie. Mariage de raison. Fidélité de courte durée de la part de Lady Wynham. »

Ici, le professeur s'interrompit et déclara, avec une courtoisie glaciale :

— Vous voudrez bien rectifier, n'est-ce pas, madame ?

Mais Lady Diana ne protesta pas :

— C'est tout à fait exact, confirma-t-elle, en tirant une cigarette ambrée de son étui de platine chiffré de diamants.

— Alors, je continue, reprit le professeur, baissant la tête. « Les amants successifs de Lady Wynham, par ordre chronologique, furent Lord Howard de Wallpen, le duc de Massignac, secrétaire d'ambassade, George Wobbly, le chanteur burlesque, monsieur Somerset Wiffle, M.P. et Leo Tito, le danseur des Ambassadeurs... »

Lady Diana venait de lancer son allumette éteinte dans la cheminée. Elle corrigea simplement :

— Pardon, docteur, Leo Tito et George Wobbly furent ensemble mes amants.

Le professeur Traurig s'inclina et dit :

— On aurait dû mettre une accolade.

Puis il lut plus avant :

« ... Et quelques passades éphémères et anonymes dont on ne peut préciser l'identité. »

Lady Diana acquiesça derechef :

— Moi non plus, d'ailleurs... Est-ce tout, docteur ?

— Non, madame... Il y a encore quelques lignes d'ordre psychique. Les voici :

« Lady Wynham n'est pas intoxiquée, bien qu'elle ait tâté de la morphine et de l'opium, mais une chercheuse de sensations à activité intermittente, le saphisme excepté. Aucune tendance au mysticisme religieux. Ambition démesurée. »

Le professeur avait plié son papier. Lady Diana parla :

— Ces détails sont vrais, docteur. Vous avez là une idée assez précise de moi. Je ne suis ni une demi-folle, ni une nymphomane. Je vis ma vie comme une affranchie qui a secoué dès sa puberté les chaînes de l'hypocrisie chère à ses compatriotes.

Le professeur s'était levé. Les mains croisées derrière le dos, il marcha de long en large devant la cheminée. Son interrogatoire commença. Ce fut un questionnaire précis, parsemé de mots crus et de détails intimes qu'il énonça gravement, sans arrière-pensée frivole, ni sous-entendus libertins. Il traitait la sexualité en homme de science, asservi aux rigueurs des méthodes germaniques.

— Lady Wynham, à quel âge avez-vous été déflorée?

— À dix-neuf ans, par mon mari.

— Avez-vous eu une sexualité infantile très développée?

— À partir de treize ans, oui... J'étais curieuse... Je lisais des...

— Non... Je parle de votre enfance... Par exemple, vers l'âge de cinq ou six ans, éprouviez-vous déjà une sorte de jouissance embryonnaire lorsqu'un homme vous faisait sauter sur ses genoux?

— Pas du tout.

— Bien... Avant de vous donner à votre légitime époux, vous aviez sans doute offert le stradivarius de votre sensibilité à l'archet de vos courtisans?

— Certainement... Des flirts assez poussés...
Sans pourtant consommer l'acte final.

— Avez-vous des zones érogènes hypersensibles ?

— J'ai celles qui sont communes à toutes les femmes, docteur...

— Pas de réaction délectable, par exemple, quand on vous mord ?

— Si. J'adore cela, docteur... Mais ce n'est pour moi... comment dire ?... qu'un petit four grignoté en passant devant le buffet de la Volupté...

— À quel âge vous êtes-vous livrée pour la première fois aux plaisirs solitaires ?

— Environ douze ans.

Le professeur Traurig scrutait Lady Wynham de ses yeux gris d'acier. J'étais à la fois amusé et un peu gêné par cette étonnante confession, dont Lady Diana ne semblait éprouver aucun embarras. Adossée dans le fauteuil, les jambes croisées sous le pelage merveilleux de son manteau de zibeline, elle parlait sans fausse honte, comme s'il se fût agi d'un marivaudage de salon.

Le psychiatre reprit :

— À partir de ce jour-là, y eut-il chez vous ce que j'appelle de la symbiose onanigène ?

— Comment, docteur ?

— La symbiose, madame, précisa le maître, en s'arrêtant devant la cheminée, est l'état d'équilibre de deux colloïdes adverses qui s'habituent l'un à l'autre. Toute maladie chronique est une espèce de symbiose... Je vous citerai un exemple qui vous permettra de mieux comprendre. Il y a des orchidées qui se développent sous l'action de champignons endophytes. On dit alors qu'il y a symbiose entre les deux végétaux.

— Dois-je en conclure, docteur, que vous comparez ma corolle à cette orchidée et mon index à ce champignon ?

— À peu près... La symbiose en question se traduit chez la femme par une propension aux satisfactions solitaires. Elle joue un rôle très important dans l'évolution de son caractère, de ses goûts et de ses volontés.

— En ce qui me concerne, je vous avouerai que je symbiosais... faute de mieux. En tout cas, je puis dire que j'ai toujours préféré la collaboration d'un tiers aux joies décevantes du narcissisme et que le rêve que j'ai fait la nuit dernière...

Mais le professeur interrompit sa patiente d'un geste autoritaire :

— Tout à l'heure, madame... Je commence à voir un peu plus clair dans votre psyché... Il faudrait maintenant qu'avant de me narrer ce rêve, vous me permissiez de prendre l'analyse spectrale de vos réactions pendant l'orgasme.

— Comment, docteur ?

— Je m'explique, madame. Vous avez peut-être entendu parler de l'analyse spectrale des rayons lumineux, qui nous a aidés à découvrir les différents corps simples dont sont composés les astres du ciel. La position des raies sombres dans le spectre de tel rayon nous permet d'affirmer qu'il y a de l'hydrogène dans Aldébaran ou du potassium dans l'étoile Vega de la Lyre. J'ai appliqué le même procédé à l'étude des particularités d'un individu donné, cette étude me permet de tirer des déductions intéressantes sur son caractère. Mais, pour que l'analyse soit riche en résultats, il faut que l'équilibre électrique des colloïdes soit rompu et le meilleur moyen d'obtenir cette rupture, c'est d'observer le sujet pendant les courts instants de la satisfaction sexuelle.

— J'ai compris, docteur.

— Il faut donc, Lady Wynham, que vous consentiez à vous placer devant la plaque de cet appareil de radiographie perfectionné par moi, et qui me permettra de faire, par les rayons Roentgen, l'analyse spectrale de vos réactions intimes.

— Je vois... Je vois, docteur.

Et Lady Diana ajouta, en souriant :

— Je vois que vous avez l'appareil, mais que vous ne fournissez pas le frisson.

Le professeur Traurig n'admettait point que l'on badinât avec la science. Il répliqua sévèrement :

— Il vous appartient, Lady Wynham, de choisir vous-même le moyen de le déclencher.

Sur un coup de timbre du maître, l'assistant entra. Il dressa, derrière l'appareil de radiographie, une sorte de cabine portative, faite d'écrans d'étoffe noire juxtaposés, et disparut dans sa cachette improvisée. Le professeur Traurig ordonna :

— Et maintenant, Lady Wynham, il ne vous reste plus qu'à donner libre cours à votre émotion sexuelle entre cette ampoule et cette plaque de verre. Je préviendrai lorsque ce sera fini.

Le maître s'insinua à son tour derrière les écrans noirs et le silence du salon ne fut troublé que par le crépitement assourdi de l'ampoule de Crooks.

Lady Diana s'était tournée vers moi avec un sourire ironique.

— Mon cher Gérard, chuchota-t-elle, il s'agit à présent d'ouvrir le commutateur de mes émotions, comme dit le maître... Puis-je compter sur vous ?

J'avoue ne m'être jamais trouvé dans un cas plus baroque. Ma position sociale est de celles qui exigent une grande circonspection. Je me suis toujours efforcé, depuis cinq mois que Lady Diana m'honore de sa confiance, de ne pas m'exposer aux médisances du monde en donnant un tour fâcheux à notre intimité. Prince ruiné, honnête homme pourtant, il me déplairait qu'elle me signât des chèques sur le seuil de son alcôve. Je lui rends des services qu'elle ne rétribue pas. Il serait malséant qu'elle évaluât en livres sterling le taux de mes caresses. Nulle équivoque ne plane sur nous, et quoi qu'en pensent les méchants, les gestes douteux, les regards complices, les frôlements imprécis, les sous-entendus grivois ne nous font pas cortège.

— Lady Diana, murmurai-je à mon tour, en l'honneur de la science, je violerai ma règle de conduite... Voulez-vous que je baise vos lèvres devant l'ampoule magique ? Voulez-vous que je promène sur le satin de votre chair le duvet de cygne qui ceint votre cloche de feutre ? Peut-être qu'en pensant à Leo Tito ou à Somerset Wiffle vous offrirez au professeur une belle analyse spectrale ?

— Gérard ! Vous n'êtes jamais sérieux... protesta Lady Diana.

Et, avant que je puisse m'en rendre compte, elle m'entraîna devant la plaque de verre dépoli, m'enlaça brusquement de ses deux bras souples, se serra contre mon corps et mit sur ma bouche la fleur vivante de ses lèvres. Malgré moi, j'évoquai le baiser symbolique d'une plante de la jungle, d'une plante fantastique dont les lianes m'eussent enroulé et dont la fleur merveilleuse eût aspiré ma vie. Enivré par cette étreinte imprévue, étourdi par un plaisir qui me faisait presque regretter de ne l'avoir point goûté plus tôt, je lui rendis son baiser et je serrai plus fort contre moi ce corps ondoyant et mince ; j'allais, sans doute, murmurer des paroles inutiles quand un monosyllabe rude rompit le charme :

— Halte !

Il était sorti de la cabine noire, brutal comme un commandement d'*Oberleutnant* sur le champ de manœuvres de Tempelhof. Lady Diana dénoua son étreinte. Je fis un effort pour revenir à la réalité. Le professeur Traurig émergea de sa boîte d'étoffe.

— Je vous remercie, Lady Wynham, dit-il simplement. Le docteur Funkelwitz vous remettra tout à l'heure une épreuve de votre analyse. Pour moi, je suis à présent mieux renseigné sur les surprises, les réactions et les soubresauts de votre inconscient. Je puis vous dire entre autres détails que vous avez, depuis votre jeunesse, refoulé secrètement un besoin de richesse, de puissance, d'absolutisme... Vous êtes atteinte de la névrose de la perfection. Vous cherchez l'introuvable et comme Colomb, vous feriez le tour des passions humaines pour découvrir une Amérique peuplée de surhommes, dispensateurs de sensations et de bonheurs illimités. Maintenant Lady Wynham, asseyez-vous de nouveau dans ce fauteuil et contez-moi le songe qui vous a amenée ici.

Lady Diana obéit à la suggestion du professeur – était-il possible qu'on discutât les oukases de ce psychiatre tyrannique ! – et elle commença en ces termes :

— Je dois vous dire, d'abord, docteur, que d'ordinaire mes songes sont dépourvus d'intérêt. Comme toutes les femmes, je rêve assez souvent. Tantôt ce sont des cauchemars burlesques, tantôt des évocations érotiques. Le rêve que j'ai eu la nuit dernière, au contraire, n'est pas près de sortir de ma mémoire parce qu'il présente une sorte de logique dans l'enchaînement des tableaux qui me fait lui attribuer la valeur d'une prémonition. Je me trouvais, comment, je ne sais, au milieu d'un paysage rouge... Je précise : complètement rouge... La terre, les herbes, les arbres, les feuilles étaient rouge vif. J'avançais avec peine, parce que mes chevilles étaient entravées... Une chaîne... Ou une corde... Tenue derrière moi par un petit homme rouge aussi. C'était plus qu'un nain... un vrai lilliputien, haut d'un pied peut-être... Son chef, gros comme un œuf passé au minium, était coiffé d'un bonnet phrygien et, détail horrible, sa ceinture portait en guirlande cinq ou six têtes coupées... Je marchais difficilement sur la poussière carminée du chemin et toutes les fois que je voulais m'arrêter, un coup d'épingle dans les mollets m'obligeait à poursuivre mon calvaire. Tout à coup, un petit palais de cristal, telle une maison de poupée, se dressa devant moi... Un palais transparent comme un bocal, avec des tours minuscules et des portes aussi grandes que des trappes de pigeonnier. Des êtres que je ne voyais pas parlaient un langage inconnu dans les murailles de verre et ce brouhaha de voix aiguës ressemblait au ramage de vingt cacatoès derrière le grillage d'une volière. Le petit homme rouge m'ordonna de rentrer dans le palais. Mais comment eus-je pu pénétrer par cette porte étroite ? J'y glissai la main, le poignet, le bras jusqu'à l'épaule... Je fis des efforts désespérés pour aller plus loin ; et je pleurais de désespoir ; et le petit homme rouge me harcelait de coups d'épingle... Tout à coup ma main gauche, celle qui était dans le palais de cristal, fut agrippée par d'innombrables mains de ouistitis qui tiraient sur mes doigts au point de les écarteler... Enfin, détail que je n'oublierai pas de longtemps, je sentis qu'on passait à mon annulaire une bague, une bague ronde et lisse, sans ornements, tandis qu'au même instant des lèvres invisibles déposaient un baiser sur la même main... Je frissonne encore en évoquant le souvenir de ce baiser invisible, glouton, péremptoire... un baiser qui m'inspirait de la répulsion et du plaisir... À ce moment-là, je dus pousser une sorte de râle, car je me réveillai en sursaut et fus fort surprise d'apercevoir à la tête de mon lit ma femme de chambre qui s'était levée. Je lui demandai ce qu'elle faisait là. Elle me répondit qu'elle était étonnée de me voir seule dans mon lit, étant donné les modulations du cri que j'avais émis. Je la congédiai ; je me rendormis et ne rêvai pas davantage cette nuit-là... Voilà, docteur, le cauchemar qui m'a hantée. Je suis un peu superstitieuse. J'en éprouve de l'inquiétude. Qu'en pensez-vous ?

Le professeur Traurig avait écouté scrupuleusement sa patiente. Il parla à son tour :

— Lady Wynham, depuis qu'Aristote a, le premier, étudié la valeur psychologique des rêves, d'innombrables savants l'ont imité. Les uns n'y ont vu que des réactions végétatives. D'autres les ont attribués à des causes psychopathiques plus ou moins plausibles. Pour ma part, je me contente de rechercher d'abord si un rêve donné est dû à des excitations cutanéo-motrices ou s'il n'est que la réalisation déguisée d'un désir réprimé... Voyons le cas qui vous intéresse... Je trouve dans votre cauchemar une altération du sens de la vue, puisque vous avez vu rouge ce qui est normalement vert. Il peut y avoir là une cause purement accidentelle, comme l'irritation produite par la dentelle de votre oreiller contre la paupière.

— Je ne dors pas sur des oreillers, docteur. Quand je me réveille, je les trouve sur le tapis, sous mon lit ou derrière ma coiffeuse.

— Votre rêve présente aussi une déformation des dimensions normales. Ce rapetissement du monde extérieur peut être dû au fait que vous dormiez dans une chemise de nuit trop étroite.

— Docteur, fit observer Lady Diana avec un sourire imperceptible, je ne porte pas de chemise de nuit, la nuit... Je dors l'hiver en pyjama, sans le pantalon, et l'été, toute nue...

Les réponses de Lady Diana ne semblaient point troubler la sérénité méthodique de l'illustre professeur. Il continua :

— Je vois enfin dans votre hallucination érotique – ce baiser invisible et troublant – une excitation fortuite, due sans doute au rappel d'un plaisir sensuel ressenti la veille.

— Cela me paraît impossible, docteur, attendu que je suis rigoureusement chaste depuis le 7 mars dernier, jour où j'ai eu mon dernier tête-à-tête avec monsieur Somerset Wiffle, derrière les stores baissés de ma limousine, entre le palais de Westminster et son manoir de Hampton-Court.

— Alors, votre sensation onirique pourrait aussi bien être due à un désir causé par cette continence prolongée.

Le professeur Traurig avait réponse à tout. Mais ses explications ne semblaient pas satisfaire Lady Diana qui, avec un mouvement d'impatience, lui demanda :

— Enfin, docteur, je voudrais savoir la signification de mon rêve... Je vous remercie de chercher à en démêler les causes scientifiques; mais ce qui m'intéresse, c'est d'en connaître le sens quant à mon avenir et à...

Le silence du professeur Traurig était de mauvais augure. Il s'était levé. Son regard impérieux se posa sur la patiente. Ses mains osseuses s'insinuèrent dans les deux poches de son pantalon et, suprêmement sarcastique, d'une voix brève, qui cinglait, il dit :

— Vous vous êtes trompée de porte, Lady Wynham. Si vous désirez connaître l'avenir d'après les rêves, il faudra vous adresser aux innombrables farceurs qui collaborent à la Clef des Songes pour le plus grand bonheur des modistes jalouses, des bourgeois romantiques et des douairières en état de ménopause...

Le professeur Traurig sonna et il ajouta, en saluant :

— Mes hommages, Lady Wynham, Monsieur le docteur Funkelwitz va vous reconduire et vous remettre votre analyse spectrale.

— Quel butor! remarqua-t-elle à peine remise de son étonnement.

Lady Diana et moi nous passâmes dans le salon bouton d'or.

— C'est un grand savant, fis-je. Vous l'avez pris pour un somnambule extralucide.

— Dites, Gérard... Vous paierez la consultation au petit vieux.

— Oui.

Le docteur Funkelwitz parut. Il remit à Lady Diana une enveloppe qui contenait une épreuve radiographique et une notice écrite à la main. Je lui demandai discrètement si je pouvais lui remettre le prix de la consultation du maître. Il acquiesça :

— Certainement, monsieur.

— Combien ?

— Cinq mille francs français... ou deux cent cinquante dollars... ou soixante-cinq livres anglaises.

Je remplis un chèque – j'avais un carnet de chèques en blanc signés d'avance par Lady Diana – et je le lui remis. Deux minutes plus tard, assis à côté de ma compagne dans son cabriolet jaune d'œuf, j'ouvrais l'enveloppe et regardais curieusement l'analyse de notre fugitif frisson. Ma voisine se pencha vers moi, lorgna avec son face-à-main le ruban aux ombres alternées du spectre photographié et s'écria en riant :

— C'est ça, votre baiser, Gérard !... On dirait un « Suivez-moi jeune homme » détrempé par une averse !

Je lui montrai les lignes sombres entre les zones claires.

— Ici, Lady Diana, vous avez flanché... Là, votre potentiel voluptueux donnait mieux... Un type épatant, le professeur Traurig!... Montre-moi ton spectre et je te dirai si tu m'aimes.

Je plaisantais pour chasser de mon souvenir la délectable impression que m'avait laissée le baiser de Lady Diana. Mais j'avais compté sans son intuition.

— Vous avez l'air un peu troublé, Gérard... Pourquoi donc?

— Ah! ma chère Lady Diana... Avez-vous jamais goûté un entremets savoureux qu'un maître d'hôtel facétieux aurait aussitôt retiré de votre assiette? Je suis ce convive infortuné.

— Si je vous comprends bien, Gérard, vous auriez aimé que mon analyse eût six cents mètres de long?...

— Vous voulez dire six lieues marines!

— Qu'est-ce qui vous empêche d'y ajouter un béquet?

— Mon *self-respect*.

Lady Diana me considéra en silence. Une flamme étrange luisait entre la lisière de ses paupières mi-closes. Tout à coup, elle tourna la tête vers la portière et déclara:

— Pour être un gentleman, vous n'en êtes pas moins un imbécile... parce que moi aussi je n'aime pas rester la cuiller en panne, devant une crème évanouie... Ce soir, j'irai terminer mon dessert.

— George Wobbly? Leo Tito? Somerset Wiffle?

— Monsieur Quelqu'un...

2

Né Gérard Dextrier, promu prince Séliman pour l'amour d'une belle Yankee, je suis à présent le secrétaire d'une pairesse britannique, non point par intérêt, mais par désœuvrement.

Mon mariage avec Griselda Turner, mon aventure dramatique avec sa belle-fille, le refus de ma femme de me pardonner une infidélité non consommée, avaient ébranlé mon équilibre moral. J'avais quitté New York, le cœur blessé, l'âme battue, avec un parchemin dans ma poche qui me conférait légalement le port d'une couronne fermée, et cinq mille dollars qui constituaient toute ma fortune personnelle. Quand on a cinq mille dollars, on peut gagner un million au baccara, mettre une couturière dans ses meubles ou acheter des cornues pour la faculté des sciences. Mais j'étais si las que je ne me sentais même pas capable de gaspiller mon avoir en beauté. Le souvenir de Griselda me hantait. J'étais heureux de fuir une femme si cruelle et malheureux de ne plus goûter la saveur de ses baisers.

Je débarquai à Londres, vers la mi-octobre. L'automne était sec et les arbres des squares doraient leurs dernières feuilles aux feux éteints d'un soleil sans éclat. Solitaire et désœuvré, je déambulais dans les allées de Kensington Gardens, promenant un regard atone sur le tapis des pelouses jaunies, agrémentées çà et là d'une paire de brebis placides et bien frisées. J'écoutais parfois les messies de Hyde Park qui, juchés sur une boîte retournée, exerçaient leur apostolat, ou bien j'oubliais les laideurs du monde dans la splendeur polychrome des chrysanthèmes de Kew Gardens.

L'atmosphère londonienne est lénitive. Elle engourdit les neurasthénies bénignes et incite à la boisson ou à la théosophie. Mais les rose-croix n'ont pas plus d'attrait pour moi que les whiskies de Sir John Dewar. Je vécus deux mois ballotté au gré des brouillards comme une bouée détachée de son corps-mort. Un besoin irrésistible de flânerie m'obligeait à traîner mes pas irrésolus de Whitechapel à Shepherd's Bush. Quand j'étais las d'avoir reflété mon farniente dans les yeux de verre des bonshommes de cire qui figeaient leurs gestes historiques sous le toit de madame Tussaud, je contemplais les boutiques alléchantes des marchands d'articles de voyage qui étalent dans le Strand la magie de leurs cuirs fauves ; à moins que je ne m'arrêtasse aux devantures des papetiers de Chancery Lane, constellées de porte-mines prestigieux, de calepins sans rivaux et de vélins à la forme, agrémentés de filigranes archaïques.

Je fuyais volontairement les amis d'autrefois. Je me contemplais dans mon isolement comme un ascète dans son cilice. J'habitais un petit appartement meublé de Maida Vale, deux pièces, une salle de bains, service compris. Des fauteuils de cuir sang de bœuf flanquaient une cheminée en noyer ciré, avec des chenets rectilignes et une galerie de cuivre devant l'âtre dallé de céramique verte. Les murs couverts de papier uni s'adornaient de gravures en couleur, représentant des scènes de chasse à courre, et d'une lithographie du gagnant du Derby en 1851, un pur-sang à tête d'hippocampe qui piaffait sur des pattes d'araignée.

Un matin, la servante qui m'apportait mon *breakfast* quotidien, déposa par erreur un numéro du *Times* entre le pot de *jam* et le râtelier à toast. Je compulsais rarement cet austère doyen de Fleet Street. Ce matin-là, j'eus la curiosité de lire à la première page une rubrique curieuse intitulée : *Personal*, et qui contient des petites annonces d'un caractère spécial. J'avais lu le message sibyllin d'un amant masqué qui déclarait à *Forget-me-not* que des événements décisifs auraient lieu mardi à quatre heures, Sloane Square ; l'appel d'une lady ruinée qui offrait un pékinois en échange de trois mois de campagne ; l'annonce d'une récompense sérieuse à qui rapporterait un bracelet-montre de dame, perdu dans un cabinet particulier du Peacok's.

Puis, tout à coup, ces lignes retinrent mon attention :

« *Wanted private secretary for member of British Peerage. Must be handsome, refined, highly educated, well-acquainted, with International Smart Set and talk perfectly English, French and German. Foreigner not excluded. Send full particulars, testimonials, photo, etc. to Box 720 c/o Times, London**. »

Je souris machinalement en calfatant de beurre les pores de mon pain grillé et je me demandai si la destinée ne m'envoyait pas par le canal de cette gazette séculaire une nouvelle situation sociale. Je n'y pensai plus ce jour-là. Mais le lendemain matin, je retrouvai le même journal à côté de mon encrier et l'annonce me revint en mémoire. J'hésitai puis, brusquement, j'arrachai d'un bloc une de mes dernières feuilles armoriées au blason des Séliman et j'écrivis au Box 720.

Trois jours plus tard, à ma très réelle surprise, un *messenger-boy* m'apportait une grande enveloppe bleu pervenche couverte d'une fine écriture penchée.

Le court message était ainsi conçu :

---

* On demande un secrétaire particulier pour membre de l'aristocratie britannique ; qualités exigées : beau garçon, raffiné, de parfaite éducation, parlant très bien l'anglais, le français et l'allemand. On accepterait un étranger. Envoyer tous les détails, certificats, photo, etc. à Box 720 au *Times*, Londres.

« 114 Berkeley Square – W.

Cher prince Séliman,

Si vous voulez bien venir me voir cet après-midi à trois heures, je vous recevrai volontiers.

Sincèrement vôtre,

LADY DIANA WYNHAM.

P.-S. – Apportez votre extrait de casier judiciaire et un certificat de réaction Wasserman. »

Ce nom familier aux chroniqueurs mondains ne m'était pas inconnu, il ne me déplut pas d'apprendre que le Box 720 n'était que le pseudonyme d'une femme aussi belle et d'entrevoir le tour que mon expérience allait prendre.

À trois heures, je franchissais le portique du 114, Berkeley Square, un portique aux colonnes doriques qui protège les visiteurs contre les intempéries, et je fus introduit par un laquais en petite tenue – habit noir sur pantalon gris fer – dans un hall jonché de peaux de bêtes, entre des floraisons excessives de phénix et de lataniers. Deux camerops issus de pots en céramique bleu turquoise balançaient leurs mains vertes au-dessus de la rampe d'un escalier de porphyre et quatre copies de déesses grecques cachaient mal leur impudeur millénaire au fond de leurs niches de marbre rose et gris.

J'attendis quelques minutes dans un boudoir saturé de chypre mêlé de tabac turc et Lady Diana Wynham m'apparut. Sa blondeur s'accusait au contraste d'une gandoura pourpre et or, sous laquelle on devinait un simple linon sur la peau. La lourde étoffe pesait sur ses seins menus et il s'en fallait de peu qu'ils ne s'échappassent de leur geôle entrouverte. Ses bras étaient nus, ses pieds chaussés de cuir marocain. Nul fard n'abîmait son teint splendide. Elle me tendit une main fine, nerveuse, au bout d'un poignet cerné d'un fil de platine avec un gros brillant carré en son milieu.

J'allais décocher les banalités polies qu'un solliciteur doit à son futur patron, lorsque Lady Diana me coupa mon effet.

— Eh bien, ça ne va donc plus avec Griselda ?

Ma stupéfaction l'amusa. Elle poursuivit en m'indiquant un fauteuil :

— Voyons, mon cher prince, vous ne voudriez pas que la *gentry* londonienne eût ignoré vos aventures new-yorkaises !... On a suivi dans les salons votre fugue à Palm Beach. On prenait même votre divorce immédiat avec la princesse à trois contre un... Mais on croirait que vous ne vous doutiez pas de tout cela ?... Le grand monde est petit, mon cher... Et ma foi je trouve plaisant que le hasard de mon annonce ait amené devant moi le bourreau sentimental de la belle madame Griselda Turner.

Mon interlocutrice me passa une petite malle de cuir écarlate remplie de cigarettes pêle-mêle et reprit :

— Alors, tout est rompu ?

— Oui et non, Lady Diana... Je suis un roi Lear, errant loin du royaume d'où la princesse m'a exilé.

— Le divorce est en bonne voie?

— Il n'en est pas question. Je dois vous avouer que j'aime encore Griselda, mais que toutes mes lettres sont demeurées sans réponse. Alors, époux résigné d'une femme inflexible, je vis au jour le jour, en regardant passer les événements. Votre annonce, Lady Wynham, m'a tenté. Je vous ai écrit moins par besoin d'argent que pour tromper mon oisiveté et j'attends que vous daigniez me préciser les obligations qui seront miennes si vous agréez mes services désintéressés.

— Vous parlez fort bien, mon cher prince. D'ailleurs, les Français sont tous un peu phraseurs. Ils ont dû inventer la salive... Ce que j'attends de mon secrétaire?... Tout et rien... Mon annonce n'est pas un moyen déguisé de me procurer un amant, car croyez-le bien je n'ai nul besoin du *Times* pour frétiller dans le plan astral... Je suis veuve. Vous savez sans doute que mon mari Lord Wynham est mort d'avoir trop mangé et trop bu comme Wenceslas... C'est une fin prosaïque, mais rapide. Il m'a laissé cette maison, trois autos, un yacht qui moisit dans le Solent, une belle collection de photographies érotiques et la Bible que lisait Anne Boleyn, bien-aimée du roi Henri VIII; une loge à Covent Garden, un enfant naturel qui est *caddie* dans un *golf club* de Brighton et une rente de cinquante livres à verser chaque trimestre à une petite Bretonne bonne d'hôtel à Dinard. Tout cela est fort compliqué... Si j'ajoute que mon agent de change me vole, que j'ai chaque année sept cent trente invitations à

35

dîner, ce qui m'obligerait à me fendre par le milieu tous les soirs à huit heures pour les accepter; si j'ajoute encore que j'ai en moyenne six amants par an, sans compter le casuel et les retours de flamme au carburateur, que j'ai à tenir une comptabilité précise de mes dettes de poker, que je prête mon concours aux fêtes de bienfaisance, que je suis capitaine honoraire d'un peloton de *policewomen* et candidate blackboulée aux élections de North Croydon; si je vous déclare enfin que j'ai peu de mémoire, que j'aime le champagne et que je n'ai jamais su faire une addition, vous comprendrez la nécessité pour moi d'avoir un secrétaire... En ce qui vous concerne je vous déclare tout de suite que vous me plaisez... Je vous connais de nom et de réputation. Vous n'êtes pas de ces Français insupportables qui flairent les jupons comme un chien courant reniffle un faisan entre deux sillons. Vous êtes donc prévenu : point de galanteries entre nous. Je suis une femme dont vous serez moins le secrétaire que le camarade... ou plutôt, vous jouerez près de moi le rôle d'un mari – jusqu'à la lisière de ma chambre à coucher, bien entendu. Vous défendrez mes intérêts. Vous me conseillerez utilement. Vous m'empêcherez parfois de faire des bêtises, ce qui constitue le passe-temps favori des femmes de ma classe et n'hésiterez pas à expulser de mon alcôve les patitos indésirables qui auraient pu s'y insinuer à la faveur de mes caprices...

Lady Diana s'interrompit pour lisser un cil rebelle du bout de son doigt rosi et reprit :

— Vous m'accompagnerez aussi en voyage, le cas échéant. Car vous n'ignorez sans doute pas que j'ai totalisé des milliers de miles sur les voies ferrées du continent et usé les carpettes de la Compagnie des Wagons-Lits. Un chroniqueur parisien m'a même surnommée la Madone des Sleepings... Sleepings avec un *s,* ce qui est un barbarisme anglais, à moins que vous n'ayez déjà annexé ce vocable d'outre-Manche ? Et Madone avec un grand M, ce qui est un euphémisme plein d'ironie, puisque j'ai peut-être le profil d'une Madone, mais n'en ai plus les attributs... En vérité, j'ai pérégriné sur les grands réseaux européens ; j'ai oublié maints billets doux entre les pages de l'A.B.C., de l'Indicateur Chaix ou du Fahrplan germanique et livré aux douaniers de tous les pays le parfum de mes valises et le secret de mes lingeries confidentielles... On prétend que partir, c'est mourir un peu. Moi, je crois plutôt que mourir, c'est partir beaucoup, et que voyager c'est changer son chagrin d'eau... Je compte donc sur vous pour me distraire à l'occasion entre deux poteaux télégraphiques, abréger avec des boutades la longueur des tunnels, pimenter le menu fade des buffets où l'on passe et chasser les hirondelles de couloirs dans les palaces où l'on badine.

Lady Diana ne me donna pas le temps de répondre. Elle ajouta pour conclure :

— Je ne peux pas rétribuer vos fonctions à leur juste valeur, parce que vous avez un beau titre et ma fortune n'y suffirait pas ; mais je vous

offre cinq cents guinées par mois pour vos cigares, vos gardénias et vos chaussettes de soie.
Acceptez-vous ?

La déclaration de cette étonnante beauté m'avait
à la fois déconcerté et amusé. Je m'inclinai :

— J'accepte, Lady Diana... Excepté les cinq
cents guinées. Je ne vous loue pas mes services,
je vous les donne. Je serai votre secrétaire par
dilettantisme, par amour de l'art, si vous voulez,
parce que je suis désœuvré et que je m'ennuie.

Ma réponse étonna Lady Wynham qui fronça
les sourcils :

— J'aurais préféré ne pas être votre obligée,
vous savez. Il n'est pas loyal d'accepter quelque
chose sans rien donner en échange.

— Votre sympathie et votre confiance me
récompenseront amplement.

Lady Wynham hésita puis elle répliqua :

— Soit. D'ici à huit jours vous aurez probablement gagné l'une et conquis l'autre.

Puis elle ajouta :

— Pour la bonne règle, mon cher prince, montrez-moi votre casier judiciaire et votre Wasserman... Surtout ne vous formalisez pas. On peut
être prince et escroc, couronné et syphilitique...
Je désire être fixée une fois pour toutes sur la
santé morale et physique de mes intimes.

Je satisfis sa curiosité. Elle me rendit mes
papiers comme un gardien de la paix restitue la
carte grise d'un automobiliste suspect et, me
prenant familièrement par le bras, elle m'offrit
de me faire voir sa maison.

Sa chambre n'était pas dépourvue d'originalité. Elle recelait un lit très large et très bas, couvert de panne bleu paon et flanqué de deux torchères électriques dressées comme des thyrses lumineux, veillant sur son sommeil. Une peau géante d'ours blanc du Groënland saignait des pétales de roses rouges tombés d'une jatte de cristal voisine. Aux murs, je vis des gravures anciennes de Nanteuil, un original de Félicien Rops, rigoureusement érotique, un tableau d'Alma Tadema excessivement puéril et une grande photographie de la maîtresse du logis dansant en chlamyde transparente sur les cheveux en brosse d'une pelouse passée à la tondeuse.

Lady Diana me fit admirer sa salle de bains en marbre blanc digne d'un *balneum* romain et son cabinet de toilette laqué vert Nil, où les flacons de verveine et d'ambre alternaient avec les fioles de permanganate de potassium; un laboratoire complet pour l'entretien de l'épiderme public et des muqueuses privées, avec des jeux de brosses en vermeil, des ongliers garnis comme des trousses d'oculiste, un bain de siège en faïence céruléenne monté sur roulements à billes avec jets obliques, ascendants, centrifuges et entrecroisés.

En sortant de cette salle d'opérations hygiéniques, elle m'assura qu'elle n'avait jamais eu d'enfants. Je la crus sans peine.

Le lendemain même, j'entrais en fonctions. Je conservai mon petit appartement de Maida Vale que j'avais jugé plus correct d'habiter et je consacrai tout mon temps à cette exigeante et charmante aristocrate. Chaque jour, elle avait l'occasion de me présenter à des amis. Ils s'étonnaient que le prince Séliman fût le sigisbée de la jolie veuve de Berkeley Square et insinuaient que mon rôle auprès d'elle consistait moins à défendre ses intérêts qu'à attaquer sa vertu. Je laissais les médisants répandre leur virus filtrant entre les fumoirs des clubs et les bergères des salons et malgré les séductions de son moi désinvolte, je ne baisais matin et soir que la main offerte de Lady Diana...

❧

Le matin qui suivit notre consultation chez le professeur Traurig, je pénétrai à onze heures dans le boudoir. D'ordinaire, elle était levée et, vêtue – à peine – d'un saut-de-lit en crêpe de Chine géranium, elle m'aidait à décacheter son courrier. Ce jour-là, sa femme de chambre, une Française nommée Juliette, me déclara :

— Oh! Monsieur... Qu'est-ce que Milady a bien pu fabriquer cette nuit! Elle est sortie après le dîner, en tailleur, très simple, et elle n'est rentrée que ce matin à cinq heures! J'ai même remarqué un détail qui m'a donné à réfléchir... Milady avait mis des dessous... des dessous comme elle n'en porte jamais... Un pantalon en batiste grossière et une de ces chemises à broderie mécanique qu'on trouve chez Selfridge's pour douze shillings six!

Une voix m'appela à travers la porte fermée :

— Gérard ! Venez... J'ai à vous parler.

Je pénétrai dans la chambre. Lady Diana était encore couchée. Elle me fit asseoir sur le bord de son lit, cala d'un coup de poing un coussin derrière son dos et me regarda, ses bras nus en équerre derrière sa nuque :

— Gérard... Ne me grondez pas... J'ai fait hier soir une folie, une bêtise... Mais c'est un peu votre faute, ou si vous préférez, celle de cet idiot de Traurig, avec son questionnaire de vieil érotomane... J'avais envie de... Enfin, j'étais à point... Allons, Gérard... Je n'aime pas ce coup d'œil réprobateur... L'animal peut bien reparaître dans l'âme des civilisés... Bref, je me suis habillée en boniche et j'ai pêché un mâle dans Oxford Street.

— Lady Diana !

— Chut ! Chut ! Mon petit Gérard, je ne le ferai plus... Quand je suis dans cet état-là, il me faut le piment de l'inconnu... Gérard, écoutez-moi... J'ai fait un marin... Oui, un marin du H.M.S. *Wellington*... Le nom du cuirassé était en lettres d'or sur son béret noir... Un beau gars, tanné, passé à la teinture d'iode... Je l'ai aguiché. Vous savez que je fais la grue comme une professionnelle quand je m'y mets !... Il était un peu timide... Nous avons causé... Je l'ai emmené du côté de Queen's Hall... La rue était déserte... Pour l'allécher, je lui ai pris la main et je l'ai plaquée sur mon sein sous ma chemise... Ah ! mon ami... Cette main tatouée, rude, d'homme de mer !... Dans ce moment-là, cela vaut toutes les phalanges jointes des pairs du Royaume-Uni! Le matelot m'a demandé si j'avais une chambre... Il m'a proposé l'Hôtel de Boulogne, dans Soho. Je l'ai suivi... Quel bouge ignoble et délicieux!... Entre une échoppe à poissons frits et un marchand de fruits exotiques... Nous nous sommes couchés dans un lit de fer... Il y avait des trous dans la couverture de coton et le portrait de la reine Victoria à la tête du lit... À trois heures du matin, il m'a dit qu'il était obligé de rentrer à Portsmouth. Il s'est rhabillé. Il m'a déclaré : « *Dearie,* je vous écrirai après les écoles à feu... Voilà une guinée pour vous... Si vous êtes dans le malheur, prévenez-moi ; je tâcherai de vous envoyer un petit mandat-poste. » Le pauvre garçon ! J'avais une envie folle de lui rendre sa guinée et cinquante avec... Mais je n'ai pas osé... Il aurait été déçu ; peut-être humilié... Alors il m'a embrassée... Je sens encore les rubans de son béret contre ma tempe... Sur le seuil de la porte il a dit : « Chérie... je prierai Dieu pour vous dimanche prochain, à bord, pendant le service du chapelain... Vous êtes une bonne fille... Adieu. » Et je me suis mise à pleurer toute seule, dans cette chambre sordide, sur ce lit douteux, sous le portrait de la reine, moucheté par l'humidité d'un semis de taches jaunes...

Lady Diana s'était tue, la gorge un peu serrée : ses mains, ses jolies mains aristocratiques étaient maintenant jointes sur la dentelle du drap. Son regard angélique et bleu pesait sur moi, lourd de sincérité et d'inconscience. Elle me demanda d'une voix douce, si douce :

— Gérard... Est-ce que je suis vraiment une mauvaise femme ?

Une femme est-elle vraiment mauvaise quand elle cache ses errements sous les espèces d'une Circé, habillée par la plus grande lingère de Londres ? Comment séparer le bien du mal dans une âme – nids d'abeilles ? Si le *rainbow* est une boisson enivrante dont les liqueurs superposées forment un prisme liquide et qui s'éteint dans le gosier de l'homme altéré, pourquoi le moi de Lady Diana ne serait-il pas un *rainbow* de vertus et de vices qui peuvent flatter le goût d'un moraliste indulgent ?

— Ma chère, répondis-je en caressant affectueusement la douceur de son poignet, vous n'êtes pas une mauvaise femme. Vous êtes une philanthrope au sens le plus large du terme.

Mais elle plaisanta avec une moue charmante :

— Au sens le plus large !... Au sens le plus large !... Voyons, Gérard... Il ne faut rien exagérer, sinon feu Lord Wynham, du haut du ciel où il expie son amour immodéré du *beef* rosé et des *puddings* épais, Lord Wynham s'inscrirait en faux contre cette assertion désobligeante.

— Je parlais au figuré, naturellement.

— Ah ! bon... Alors, vous ne me jetez pas la pierre ?... Non ?... Tant mieux... D'ailleurs, Gérard, il faut que vous sachiez toute la vérité... Un jour peut-être, je serai obligée pour vivre, sinon de gagner mon pain sur les trottoirs d'Oxford Street, du moins d'assurer mon super-flu en subissant des baisers que je n'aurai pas choisis... Au lieu d'un matelot qui passe, ce sera un financier obèse qui demeure et qui s'installe.

— Lady Diana, votre langage me surprend. Je ne vois pour vous nulle raison d'accepter d'autres plaisirs que ceux que votre fantaisie vous dicte.

— Vous vous trompez, Gérard, fit-elle subitement grave, parce que vous ne connaissez pas tous les détails de ma vie, depuis cinq mois que vous l'observez. Il se pourrait qu'avant peu je ne fusse ruinée.

— Ruinée?

— Les impôts fonciers trop lourds depuis la guerre auraient incité Lord Wynham à vendre toutes ses terres du comté de Kent. Il en tira environ un million et demi de livres sterling. J'ai dépensé la moitié de cette somme, depuis sa mort. C'étaient là des fonds d'État ou des valeurs facilement négociables... Des Rand Mines, de l'emprunt de guerre anglais cinq pour cent, du Tanganyika et des de Beers... Le poker, le baccara, d'autres folies les ont dévorés... Il me reste à présent, outre mon château de Glensloy hypothéqué déjà, quelque six cent mille livres placées en grande partie dans deux affaires industrielles qui me donnent de l'inquiétude : la Rubber Cie de Sumatra et les pétroles du Bengale. Depuis hier, des bruits fâcheux courent sur la Rubber Cie et les révoltés du Bengale menacent d'anéantir les puits de la compagnie...

— Lady Diana, pourquoi ne m'en avez-vous pas parlé plus tôt ?... J'aurais essayé de...

— Mon cher, j'étais à cent lieues de m'en douter. Mon agent de change de la City, un forban dont je me vengerai plus tard, ne m'a jamais parlé de rien. Je le soupçonne maintenant d'être de connivence avec les gens qui ont intérêt à provoquer une panique au sujet de la Rubber Cie. Bref, il se pourrait qu'avant l'automne, je fisse le plongeon.

— Qu'entendez-vous par là ?

— Non pas que je finisse en beauté dans la Tamise du haut de Westminster Bridge, mais que pour garder mon rang, pour conserver ce train de maison, j'offre l'usufruit de mon corps au riche amateur qui se présentera.

On frappa à la porte. Juliette entra, portant une carte, Lady Diana lut à haute voix... « Caroline Limited, 126, New Bond Street. »

— Mon couturier ?... fit-elle surprise. Il vient sans doute m'offrir une robe nouvelle, pour sa publicité... Allez donc le voir, Gérard.

Je passai dans un petit salon où monsieur Caroline Limited, sobre d'allure et sévère d'aspect, me salua. Il me connaissait de vue et parla sans préambule :

— Prince, je me suis permis de me présenter ce matin pour demander un petit service à Lady Wynham.

— Très volontiers... Vous avez besoin de son nom pour lancer un modèle ?

— Non... Non... Ce n'est pas exactement cela...

45

L'ambassadeur de Caroline Limited tira un papier de sa jaquette et me le tendit en disant :

— La firme vous serait très obligée si vous vouliez bien prier Lady Wynham d'acquitter sa facture... Elle comprend, comme vous le voyez, ses onze robes de l'hiver dernier, plus quatre manteaux, trois étoles de fourrures et diverses petites choses, le tout s'élevant à huit mille cent vingt-cinq guinées.

Je considérai l'homme en jaquette avec une surprise un peu hautaine, et lui dis :

— Je m'étonne, monsieur, que la maison Caroline, de Bond Street, ait perdu à ce point le sens des convenances. Quand on a l'honneur d'habiller Lady Diana Wynham, on attend qu'elle exige le règlement de son compte et encore on ne manifeste pas trop d'empressement à encaisser son chèque.

— Mon Dieu, prince, je reconnais que vous avez raison... Mais il y a des cas, n'est-ce pas, où... Enfin, madame Caroline serait heureuse si Lady Wynham voulait bien l'excuser et lui verser, sinon le total de sa dette, du moins un acompte.

Je crus comprendre. Je m'écriai :

— Ah ! il fallait donc le dire, monsieur !... Mais j'étais loin de penser que la situation financière de Caroline Limited fût si précaire...

L'homme en jaquette leva les sourcils et parut choqué que j'émisse des doutes sur le crédit de sa firme ; il précisa :

— Pardon, prince, ce n'est pas notre situation financière qui est précaire ; c'est celle de

Lady Wynham qui nous inspire depuis ce matin quelques appréhensions... Vous ne lisez pas les *Financial News*?

Et, pour achever de me convaincre, mon interlocuteur sortit de sa poche le dernier numéro de ce journal financier. D'un doigt péremptoire, il me montra, aux dernières nouvelles du Stock Exchange, ces lignes en gros caractères :

UN KRACH IMMINENT

Nous apprenons de bonne source que la Rubber Cie de Sumatra déposera son bilan aujourd'hui. On croit même à une banqueroute frauduleuse. Les milieux bien informés de la City parlent d'une enquête judiciaire à la suite de diverses plaintes.

— Prince, ajouta-t-il, il est de notoriété publique que la plus grosse partie de la fortune de Lady Wynham est constituée par des actions de la Rubber Cie... Vous excuserez donc notre désir de nous rappeler au bon souvenir de notre débitrice et vous me permettrez d'insister pour qu'elle ne nous oublie pas.

À peine eus-je pris congé de ce visiteur déplaisant qu'on m'annonça le représentant de la maison Darind and Pillow, tapissiers, Regent Street. Il me remit, à son tour, la note des travaux que ces décorateurs éminents avaient exécutés depuis deux ans dans la maison de Berkeley Square... Neuf mille six cent cinquante-deux

livres sterling, des shillings et quelques pence...
Je pliai le mémoire avec la facture du couturier
et, fort perplexe, je rendis compte de la situation
à Lady Diana, en lui montrant, dans la gazette,
l'entrefilet fatidique.

Elle pâlit sous la brutalité du choc et froissa
nerveusement la feuille entre ses doigts.

— Naturellement, fit-elle. Tous mes créanciers
ont déjà peur... Les rats vont affluer pour grigno-
ter les miettes du fromage...

— Qu'allez-vous faire, Lady Diana ?

— Rendre visite à mon agent de change, dans
Lombard Street ; consulter mes avoués, messieurs Smith et Jones, pour leur demander si
je peux faire coffrer ce bandit et déjeuner à une
heure au Carlton avec Somerset Wiffle, pour
obtenir de lui qu'il interpelle le Premier ministre
à la Chambre des communes sur le krach de la
Rubber Cie. Pendant ce temps-là, vous écrirez
à la duchesse de Southminster, présidente de
l'Œuvre des Tuberculeux de l'île de Wight, que
je consens à prêter mon concours à la matinée
de bienfaisance qu'elle organise le 3 mai au
Garrick's... Je compte même sur vous pour me
suggérer une idée originale... Comprenez-moi
bien, Gérard... Mon navire a une voie d'eau... Je
sombre lentement... Si les choses vont de mal en
pis, je serai à la côte cet été... Il ne faut pas qu'on
s'en aperçoive... Il faut savoir chanter sur le
radeau de *la Méduse*... Toujours le sourire... En
France, vous appelez cela, je crois : avoir du
panache... Gérard ! Je veux que mon panache

chatouille les bottes de Nelson sur la colonne de Trafalgar et qu'il éberlue cette ménagerie composée d'hyènes, de chacals et de loups qu'on nomme le Tout-Londres.

3

Lady Diana m'avait dit en me montrant ses deux seins nus échappés à la résille de soie qui les emprisonnait, colombes pâles sous un trébuchet rose :

— Vraiment, mon cher, puisque vous êtes incapable de me suggérer une idée originale, je vais vous poser la question de confiance : est-ce que je ne serai pas ridicule en dansant nue à la matinée de bienfaisance du Garrick's ?

— Oh ! Lady Diana !

Ce n'était point l'approbation servile d'un ami désireux de flatter, mais l'exclamation d'un connaisseur qui sait le prix d'une gorge conforme aux canons de Praxitèle.

— Vous plaisantez ! avais-je ajouté. Vos meilleures amies sont unanimes à vanter le galbe de vos lombes, la souplesse de vos hanches et, en général, le classicisme de votre académie.

— Je crois, en vérité, que je ne suis pas mal tournée. Mais vous savez mieux que moi, Gérard, qu'un corps convenable sans un buste harmonieux, c'est une tranche de *beef* sans *pickles*...

Enfin, le sort en est jeté. J'affronterai sans voiles l'hydre aux mille faces-à-main de la *gentry* britannique et malheur à vous si des réflexions désobligeantes me font regretter d'avoir offert mes appas aux sarcasmes des philanthropes !

Cette conversation me revenait à la mémoire tandis que j'éconduisais les importuns qui, cet après-midi de mai, assiégeaient la loge de Lady Diana dans le couloir du Garrick's Théâtre. Il y avait là de jeunes snobs vêtus de jaquettes, rigoureusement biseautés sur l'angle aigu des pantalons striés, des membres du Parlement, échappés vivants des caricatures de Hoggarth et deux ou trois pairs poussifs et ventripotents. Les oisifs qui dorment après le déjeuner au club dans les bras de cuir des fauteuils massifs étaient accourus, alléchés par cette matinée au profit des tuberculeux de l'île de Wight, car le programme de cette représentation avait suscité maints commentaires dans les salons de Mayfair. Les duchesses de Grosvenor Square, les nouvelles riches de Regent's Park, les affranchies de Hampstead avaient tiqué sur le dernier numéro de la première partie :

« Lady Diana Wynham : *Rythmes païens* (Danses sans voiles). »

Ses ennemies avaient chuchoté qu'elle serait certainement exclue des réceptions royales après ces rythmes impies et ses amies avaient prétendu que ses danses augmenteraient la recette de cinq mille livres, ce dont les tuberculeux lui seraient reconnaissants.

— Quelle audace! avaient remarqué les ini-
tiés. Elle va danser nue bien qu'elle soit à la veille
d'être ruinée.

Personne n'avait douté que la collaboration de
Lady Diana à cette œuvre si charitable ne fît sensation. Et tout-Londres avait raison, parce que
tout-Londres savait, par expérience, que la Banalité aux yeux atones, la Banalité, fille du Cant
et de la Tradition, n'est pas sortie du cerveau
de Lady Wynham, femme fantasque, ondoyante
et reptilienne, née par erreur au pays des
Highlands.

Je venais de répondre à Lord Hopchester que
Lady Wynham n'était pas visible, mais qu'elle
aurait plaisir à accueillir ses admirateurs après
la représentation, quand Juliette me pria de rentrer dans la loge...

— Madame a un conseil à demander à
monsieur.

Je franchis un barrage d'orchidées, de roses,
de lilas et de papiers de soie, fleuris de bristols
armoriés ; j'enjambai des serviettes maculées
de fard, un kimono affaissé sur le tapis, tel un
samouraï passé au laminoir ; j'écartai une tenture et je me trouvai en présence de Lady Diana.

J'ai lu de sévères traités sur la pudeur à travers
les âges. J'ai étudié l'âme des Anglo-Saxons dans
les ouvrages des psychologues patentés et dans
les bars américains, dans les romans de Sterne
et sur les chemins de fer français. J'avoue la
connaître de moins en moins et ignorer de plus
en plus le caractère de Lady Diana. Je ne pus

donc réprimer un geste de surprise quand je la trouvai rigoureusement dépouillée de toute parure devant l'arsenal odoriférant de sa coiffeuse en désordre.

— Gérard, me demanda-t-elle, en me regardant dans la glace, sans la moindre gêne, me conseillez-vous de mettre ce voile de soie sur mes cheveux avec ou sans cette couronne de roses pompon?

— Ces fleurs vertueuses ne conviennent pas au paganisme de vos danses, Lady Diana. À votre place, j'épinglerais simplement le voile sur votre chevelure blonde.

— Je crois que vous avez raison... Juliette, fixez le voile au-dessus de mes oreilles.

Elle se leva. À part un cache-sexe, grand comme la main d'un sacristain et retenu par des guirlandes de liserons à peine visibles, deux cothurnes à rubans d'argent et un voile de mousseline blanche, qui tombait jusqu'aux coudes, elle ne cèlerait rien de son moi aux quinze cents spectateurs qui s'impatientaient déjà devant le rideau du théâtre.

— Vous ne craignez pas..., insinuai-je, que le lord Chamberlain qui manie les ciseaux de la Censure britannique ne se coupe un doigt... d'émotion!

— Pourquoi? Nous sommes entre gens du monde, mon cher... C'est une représentation privée... La charité excuse tout. Et puis, je ne suis pas fâchée de prouver devant tout le monde que Lady Bloomingswan me calomnie.

— Comment cela?

— Elle raconte à qui veut l'entendre que j'ai des cuisses en fourreaux de parapluie.

— Alors, dépêchez-vous, ma chère... Signora Tetranella vient de chanter la valse de Roméo et Juliette... Harry Blow entre en scène... C'est à votre tour après lui.

— Oui! Oui! je suis prête... Allez dans la salle, Gérard, tâtez le pouls des spectateurs pendant mon numéro et revenez aussitôt me voir...

Et elle ajouta, avec un regard de défi :

— Ah! Ils me croient brûlée! Ils me voient déjà dame de compagnie, cartomancienne ou tenant la boutique de parfums sous les arcades de Burlington!... Je ne suis pas fâchée de leur lancer une poignée de sable en pleine face... À tout à l'heure, chéri!...

Tandis que je m'asseyais au fond du théâtre, dans un coin obscur, je ne pouvais m'empêcher d'admirer le cran de cette femme qui, la veille au soir, avait reçu la confirmation officielle de sa ruine. Les trois quarts de sa fortune seraient engloutis dans cette catastrophe financière. Et, pourtant, elle bravait le destin. Elle n'hésitait pas à faire un scandaleux pied de nez au colosse de l'Hypocrisie anglaise, à ce géant de bois anguleux, qui cache sous une redingote solennelle la laideur de ses tares et l'éléphantiasis d'un égoïsme forcené.

Un frisson d'impatience passa sur le public. Le timbre sonna. Les feux de la rampe tournèrent au bleu. Le rideau se leva lentement. Dans un décor de paysage grec, hérissé de cyprès, ces quenouilles vespérales que tissent les sirènes sur les bords de l'Adriatique, Lady Diana apparut, agenouillée, la tête courbée sur la poitrine, les mains jointes.

Des femmes à l'orchestre s'étaient à demi levées pour mieux voir. Les hommes, plus discrètement, redressaient leur buste. On chuchotait. La salle manifestait sa surprise par des mouvements divers. Autour de moi, j'entendis des remarques désobligeantes.

— Mais est-elle vraiment nue ? ... Oh !

— C'est scandaleux...

— Non. Elle n'est pas complètement nue... Regardez, Betty, avec mes jumelles.

— Harry... Taisez-vous !

— Depuis que les travaillistes ont eu le pouvoir, l'anarchie règne partout... C'est dégoûtant.

Derrière moi, un vieillard à favoris, visage d'amphore avec anses de poils, marmottait :

— Du temps du prince Albert, on l'aurait expulsée et fouettée en plein Oxford Circus !

Un jeune gandin protesta assez haut :

— Sir ! Vous insultez une prêtresse de la Beauté.

Le diapason des interpellations montait peu à peu, bien que l'orchestre jouât les premières mesures du *Matin*, de Grieg. Au balcon, un fauteuil claqua et une spectatrice à binocle d'argent se retira bruyamment en criant à tue-tête :

— On se croirait aux Folllé-Beûrgère !...

Cette assertion péjorative déclencha une

contre-manifestation. Un gentleman dans une loge se pencha du côté de la prude offusquée :

— Si vous n'étiez pas une femme, je vous boxerais les oreilles !

Mais un autre spectateur prit la défense de la vertu bafouée :

— Cette dame a raison... Venez donc dans le couloir un instant...

— Parfaitement, monsieur !

Les deux paladins sortirent. Ils avaient l'air calme et placide de deux citoyens d'outre-Manche qui vont se casser une dent ou se cotir les zigomas. Cependant les « hou » et les applaudissements s'entrecroisaient. Lady Diana, impassible, comme une statue, n'avait pas bougé. Le chef d'orchestre avait coupé d'un trait de baguette le premier thème du *Matin*. Déjà les casques des *policemen* germaient entre les portes, ainsi que des champignons noirs. Des colloques crépitaient de loge à loge. Les uns proclamaient les droits éternels de l'Art. Les autres brandissaient l'étendard de la Bienséance vilipendée. La duchesse de Southminster, organisatrice de la matinée, s'agitait dans son avant-scène, comme une macreuse sur une plaque chaude. Elle discutait avec les dames du comité, une jolie brune en chiffon, mais qui approuvait l'audace de Lady Wynham, et une douairière saupoudrée de blanc, dont la plume d'autruche noire, fichée dans sa chevelure, se balançait au rythme de ses exclamations.

L'apparition des représentants de la loi calma

les protestataires. Le chef d'orchestre tapa sur son pupitre. Le *Matin*, de Grieg, se leva enfin dans un silence relatif... Lady Diana commença de danser. Le fil de ses évolutions brodait des arabesques harmonieuses sur les motifs du Norvégien. Les spectateurs les plus hostiles s'étaient tus... Ils oubliaient qu'ils avaient devant eux une dame de 1924 et qu'elle leur dévoilait sans honte l'élégance de son académie, parce qu'ils étaient, malgré qu'ils en eussent, reportés au temps bienheureux de l'Hellade païenne, aux temps bénis où le Y.M.C.A. ne distribuait point encore aux disciples de Socrate des tablettes de chocolat enroulées dans des maximes évangéliques. Le trille final du *Matin* s'éteignit tandis que Lady Diana, agenouillée de nouveau, les bras écartés, le visage extatique, tourné vers le soleil levant, semblait saluer une nouvelle aurore dont les feux feraient fuir les hiboux du balcon et les taupes de l'orchestre.

Les applaudissements, partis de tous les coins de la salle, se changèrent bientôt en une étonnante ovation, à peine troublée par les murmures de quelques irréductibles. Je me hâtai vers la loge. Je rencontrai des reporters qui se frottaient les mains. Quelle aubaine pour les envoyés de Fleet Street !

Ce fut, devant la porte de Lady Diana, un assaut, une bousculade, un hourvari de propos passionnés. Une heure plus tard, je rentrais dans sa voiture, serre ambulante, sous un amoncellement de bouquets et de gerbes.

— Gérard, me dit-elle, avec un rire triomphant, je les ai matés!... Quel scandale!... Si vous m'aviez regardée avec une grosse lorgnette, vous auriez vu que j'avais la peau de poule... La duchesse de Southminster est venue me dire, tout à l'heure, que j'avais bien mérité des tuberculeux mais que je serais sans doute excommuniée... Ça m'est égal! Pendant quarante-huit heures, on va discuter mon audace.

— Vous aimez donc tellement qu'on parle de vous?

— Normalement, non... Dans les circonstances actuelles, oui... Il m'était nécessaire de frapper un grand coup et que mon nom figurât dans toutes les gazettes.

— Pourquoi?

— Parce que je ne m'avoue pas encore vaincue, Gérard... J'avais oublié un atout dans mon jeu.

— Un atout de cœur?

— Je suis trop fatiguée pour vous expliquer cela. Mais demain, oui demain, Gérard, je vous proposerai une mission de confiance.

— Où?

— À Berlin.

∽

Le désir de Lady Diana fut exaucé le lendemain matin. Toute la presse londonienne commentait abondamment la matinée du Garrick's. Depuis le *Times* jusqu'au *Daily News*, conservateurs ou libéraux, ils consacraient plusieurs colonnes à la danse païenne. Le *Morning Post*, organe officiel de l'aristocratie britannique, n'osait ni l'approuver ni la blâmer. Il intitulait son compte rendu « L'Exhibition audacieuse d'une pairesse ». Le bolchevisant *Daily Herald*, peu enclin à s'intéresser aux récréations des gens du monde, félicitait cette aristocrate qui bafouait ouvertement les préjugés de sa caste et sacrifiait ses principes sur l'autel écarlate du Nu égalitaire.

Je trouvai Lady Diana, couchée sur le ventre, au milieu de son boudoir, nageant dans un océan de journaux en désordre. Les coudes croisés sur une gazette dépliée, secouant ses cheveux défaits, comme un jeune chien qui joue, elle lisait, en riant, les proses qui la concernaient.

— Eh bien... lui dis-je. Si vous n'êtes pas satisfaite, que vous faut-il encore ?

Elle me montra du doigt la quatrième colonne du *Daily Mirror* :

— Gérard ! En voilà un qui insinue que je veux fonder une école comme Loïe Fuller ! Il est toc-toc !... Et le *Daily Mail* ? Avez-vous lu son article ? Ils ont interviewé H. G. Wells pour lui demander si les sociétés modernes évolueront peu à peu vers le nu intégral... Oh ! je m'amuse !... Et le *Daily Graphic* ! Regardez ces deux photographies comparées... La Vénus de Cnide et moi, avec nos mensurations respectives. Je suis un peu moins large de hanches et plus grande d'un pouce et quart. Le monde entier va savoir que j'ai le ventre d'une déesse et qu'il ne manque à mon nombril que la foudre de Zeus !

Lady Diana, en pyjama framboise, courut à quatre pattes vers le sofa et happa un autre journal qui s'était glissé sous la frange.

— Gérard! Voici le bouquet... Vous allez rire. Ce reporter annonce que Lady Astor va déposer un projet de loi aux Communes réglementant la superficie des cache-sexe sur les scènes du Royaume-Uni... Vingt-huit pouces carrés, mesurés autour de l'ombilic avec un compas fourni, sans doute, par l'évêque de Londres.

— Lady Diana! Vous blasphémez!... protestai-je, mi-sérieux, mi-comique.

— Tenez! Je vous adore, Gérard, quand vous faites votre petite gueule de pasteur presbytérien qui s'est piqué la fesse sur une aiguille à tricoter.

Puis, soudain grave, elle se releva, m'emmena dans sa chambre, ferma la porte, me fit asseoir près d'elle sur le bord du lit et me dit :

— Mon cher, causons sérieusement... Je vous ai annoncé hier que j'avais encore une corde à mon arc, avant de me mettre dans la peau d'une femme ruinée, c'est-à-dire qui ne peut plus vivre qu'avec une dizaine de mille livres sterling de revenus... Cette ultime ressource, je l'avais oubliée... Elle vaut ce qu'elle vaut, mais enfin, c'est une chance à courir. Gérard, savez-vous le russe?

— Très mal.

Elle s'était levée. Elle ouvrit un délicieux petit secrétaire en pulpe de mahogany et en tira un épais dossier sous une chemise verte. Elle étala devant moi une liasse de documents et continua :

— Feu Lord Wynham, mon auguste mari, qui se prélasse en ce moment dans le Paradis des Goinfres, a rempli, sous le régime impérial, le poste d'ambassadeur d'Angleterre à la cour de Pétersbourg. Par suite d'événements dont j'ai toujours ignoré les détails, il reçut, du gouvernement de Nicolas II, à titre de cadeau personnel, une concession de quinze mille dessiatines de terrains pétrolifères du côté de Telav, au nord-est de Tiflis, en Géorgie. Lord Wynham avait déjà projeté, avec quelques financiers, d'exploiter rationnellement ces terrains, lorsque la révolution du 25 octobre-7 novembre 1917 vint annuler la générosité dont mon mari avait été le bénéficiaire. Ses quinze mille dessiatines furent nationalisées et les actes que voici, dépourvus de toute valeur. Il y a là des millions perdus pour moi, son héritière unique. Or, la nouvelle orientation que prennent les relations de mon pays avec les bolcheviks m'a suggéré de tenter quelque chose.

— Vous voudriez obtenir sinon la réintégration dans vos droits de propriétaire, du moins l'autorisation d'exploiter ces terrains ?

— Justement. Les revenus que j'en pourrais tirer compenseraient les pertes que j'ai faites. Hier matin, Sir Eric Blushmore, un diplomate ami de Lord Wynham et un ami sûr, à qui j'ai demandé conseil, m'a dissuadée de m'adresser au chef de la délégation commerciale des Soviets à Londres. Il paraît que ce personnage n'est plus *persona grata* à Moscou, que je ne pourrais rien obtenir par son entremise et que c'est à Berlin qu'il faut tenter de réussir. Mon petit Gérard, je compte absolument sur vous pour me renflouer. Vous partirez le plus tôt possible pour l'Allemagne ; vous vous présenterez à monsieur Varichkine, premier délégué des bolcheviks, et vous tâcherez de sortir vainqueur d'un combat dont vingt sources de naphte sont le prix.

— Lady Diana, mon amitié vous est acquise complètement. Je ferai l'impossible pour que l'opulence, sinon la vérité, sorte de vos puits.

— Vous emporterez ce dossier. Vous tâterez l'adversaire ; je veux dire que vous vous renseignerez sur la vénalité éventuelle de monsieur Varichkine ; je vous donne pleins pouvoirs pour agir. S'il faut intéresser secrètement ce personnage à la constitution de la société, offrez-lui cinq ou dix pour cent du capital en actions d'apport... Mais je vous en supplie, aboutissez. Les nouvelles de l'Inde sont de plus en plus mauvaises. L'insurrection du Bengale, attisée par les émissaires russes, bat son plein. Déjà les actions de l'Indian Oil ont baissé de quarante-cinq shillings en huit jours... Il faut absolument que vous me remettiez à flot, sinon, dans trois mois, je ferai le saut de la petite mort dans les bras d'un nouveau riche... Vous m'aimez bien, Gérard, n'est-ce pas ? Vous êtes un frère pour moi. Vous ne voudriez pas que votre petite Diana fût tripotée par un babouin gavé de chester et de stout ?... Alors ?...

Ah ! comme elle savait prendre ma sympathie

à la glu de sa séduction!... Chère Diana... Je n'éprouvais pour elle nul désir malséant, mais je l'aimais vraiment comme une sœur, une sœur au cerveau déséquilibré, à peine responsable de ses actes, incapable de discerner le bien du mal. Je l'aimais avec l'indulgence qu'il faut avoir pour une créature de luxe, pour une femme différente des autres, échappée au gabarit de la norme.

Pourquoi devrions-nous classer toutes les femmes d'après quelques modèles courants exposés au bazar de la Destinée? La Femme Fatale, la Femme Froide, la Femme Honnête, la Femme Légère? Quel naturaliste orgueilleux oserait affirmer les caractères spécifiques d'une femme froide qui, demain, sera légère sans transition, ou d'une femme fatale qui, un jour, brûlera ses armes sur le seuil de l'honnêteté?

J'ai beau fouiller avec mon scalpel les fibres fugaces de son âme désaxée, je ne parviens pas à situer Diana dans l'un des plans de l'éthique moderne. Elle est le produit d'un duc libertin marié avec une Écossaise sentimentale et romantique, nourrie de Walter Scott, élevée sur les rives élégiaques des *lochs* aux eaux tranquilles. Sa grand-mère maternelle fut une remarquable femme d'affaires, qui menait ses *highlanders* à la baguette, dans son domaine de Laurencekirk, et son grand-père paternel fut un gentilhomme-poète apprécié à Édimbourg, qui exprimait, en des ballades archaïques, la nostalgie de son cœur. Diana a hérité tout cela... La logique, quand elle le veut, ne lui est pas étrangère, à moins que ses sens ne l'asservissent quand la lune du mois synchronise la tension électrique des nuages et le pouvoir grisant d'un parfum. Affranchie des contingences morales, elle vit sa vie, égoïste jusque dans ses gestes généreux, cruelle et bonne, voluptueuse à froid, puérile, rouée, selon les heures, selon le diapason de ses désirs, selon les impulsions non prévisibles d'une fantaisie toujours en éveil.

∽

Le 12 mai, à sept heures du soir, un taxi de la gare de Friedrich me conduisit à l'hôtel Adlon, qui dresse, au coin de Sous-les-Tilleuls et de Pariser Platz, sa face austère et grise de palace berlinois.

Je n'étais pas venu dans la capitale de la République impériale depuis mon voyage de noces avec Griselda. En descendant la Friedrichstrasse, j'avais retrouvé les mêmes péripatéticiennes qui, depuis la naissance du demi-monde, arpentent le trottoir droit de cette voie célèbre, pour disparaître parfois dans les rues perpendiculaires, comme des météores détournés brusquement de leur parabole. En face du Café Bauer, de vieux prolétaires, harangués jadis par August Bebel aux temps héroïques de la Sozial-Demokratie, vendaient les mêmes gazettes aux titres gothiques et glissaient dans la poche de leurs clients sérieux le dernier numéro de la *Rote*

Fahne, interdit par la police. Les agents noirs de l'empire étaient remplacés par les schupos verts devant la porte de Brandebourg et le tram du Stadtring continuait son périple autour de la métropole qui porte un ours sur ses armoiries.

Je dînai ce soir-là dans un petit restaurant italien de la Dorotheenstrasse, où j'espérais respirer un peu l'atmosphère de ma jeunesse, du temps où monsieur Max Liebermann faisait sensation aux expositions des Indépendants de Charlottenburg, où Sa Majesté s'enorgueillissait d'avoir immortalisé en statues de saindoux la lignée des Hohenzollern, où monsieur Reinhardt ne faisait point encore jouer *Tartuffe* en jaquette, où les « Bals de veuves » florissaient derrière le Spittelmarkt avec leur galant escadron de grues portant l'alliance à l'annulaire et stimulant la concupiscence des dilettantes avec des voiles de crêpe injustifiés. Le hasard me servit. Je rencontrai Semevski, un pianiste russe que j'avais connu à Milan et qui fait applaudir, dans les salles de concerts européennes, la technique et la vélocité de son maître Rubinstein. Je l'invitai à ma table et bientôt je le questionnai :

— Que savez-vous de votre compatriote monsieur Varichkine, premier délégué des Soviets à Berlin ?

Mon ami Semevski assaisonnait son rollmops de la fumée qu'il tirait d'une cigarette à bout de carton bistre ; il me regarda ironiquement et persifla :

— Varichkine ?... Leonid pour les femmes ?...

Un monsieur qui a fait son chemin dans le bolchevisme, comme d'autres réussissent dans la ferblanterie ou les peaux de lapins...

— Voulez-vous insinuer que cet augure du parti n'est pas convaincu ?

Semevski eut un geste fataliste, secoua par inadvertance sa cigarette dans un ravier de céleri et dit :

— Cher ami, il y a deux choses en ce monde qu'on ne peut pas savoir exactement : si l'on n'est pas trompé par une femme et si un bolcheviste est sincère... Supposez que vous soyez un écrivain célèbre et que des jeunes gens qui ont besoin de votre appui vous donnent du « cher maître » en courbant l'échine... Seriez-vous persuadé de leur sincérité ?... Dans notre pauvre Russie actuelle, soyez certain que les arrivistes, les opportunistes et, en général, tous ceux qui ont faim, sont prêts à se vautrer dans la boue devant l'icône de monsieur Lénine, embaumé comme un pharaon...

— Connaissez-vous personnellement Varichkine ? Pouvez-vous me parler de lui en détail ?

— Leonid Vladimirovitch Varichkine était étudiant à Pétersbourg quand j'y travaillais la musique. Fils d'un huissier au ministère des Finances, il commença, comme tous les jeunes écervelés de l'époque, par se mêler timidement à la première révolution russe de 1905. Il avait dix-neuf ans. Je le perds de vue pendant une douzaine d'années. En 1917, j'ouvre un jour la gazette révolutionnaire *Pravda*. J'y trouve, entre deux articles de Lénine et de Lounatcharsky, une étude signée de Varichkine... Je me dis : « Hé ! Hé ! Le petit camarade Leonid mange du bourgeois ?... Aurait-il eu des déceptions et le sort n'aurait-il pas satisfait ses ambitions ?... » J'étais d'autant plus surpris de trouver Varichkine dans cette nichée de coucous rouges que je le savais affamé de considération, d'honneurs et d'argent... Or, vous savez, mon cher, que, pour faire un bolchevik, il suffit de prendre un bourgeois raté, aigri ou déçu dans ses espérances... Je rencontre Varichkine quelque temps après le coup de balai de l'Institut Smolny... Il me déclare, triomphant : « Ça y est, mon vieux... Nous avons le pouvoir. Nous allons faire la vraie révolution et nous enverrons les faux frères voir dans les cellules des forteresses si le printemps fait des bourgeons ! Un bon conseil... Je ne tiens pas particulièrement à avoir ta peau... File ce soir même avec ta brosse à dents et ton rouleau de musique, via Helsingfors, avant qu'on te fasse tâter du cachot... » Inutile de vous dire que je me rendis prestement à Stockholm, heureux de mettre la Baltique entre les nouveaux rois mages du Christ écarlate et moi !... Depuis ce jour-là je n'ai jamais revu Varichkine, mais on m'a conté ses aventures. Ne croyez-vous pas que le camarade ait été touché subitement par la grâce communiste... Ce jeune socialiste-démocrate d'hier regardait avec envie les raisins du capitalisme. Le destin ne lui ayant pas permis d'y goûter, pas plus d'ailleurs qu'aux faveurs d'une princesse dont il était l'amoureux transi, il conçut une sorte de rancœur contre l'ordre établi et fut poussé par sa maîtresse, madame Mouravieff, à entrer dans le camp des dynamiteurs de la société contemporaine.

— Vous parlez de la fameuse madame Mouravieff qui s'est distinguée en 1918 par sa cruauté ?... Celle qui a assisté un jour dans les fossés de la forteresse Pierre et Paul à la fusillade en masse de vingt-six intellectuels réactionnaires...

— Parfaitement... Elle les regarda mourir, assise sur une chaise, une cigarette aux lèvres... Cette charmante madame Mouravieff est donc depuis huit ans la maîtresse officielle de Varichkine. Elle l'inspire. Elle le dirige. Elle le terrorise même. Ah ! mon cher, un type étonnant de femme que cette Irina Mouravieff... Une de ces illuminées qui rêvent le bonheur de l'humanité à coups de mitrailleuses et qui envoient leurs contradicteurs méditer dans les glaces de Solovki. Vos romanciers occidentaux brodent parfois des pages d'une vérité douteuse sur le charme slave. Je leur livre en pâture Irina Mouravieff, élevée par une nourrice monstrueuse dont la mamelle droite lui versa le marxisme et la mamelle gauche le goût de la morphine. Irina Mouravieff, la Marquise de Sade de la Russie rouge.

4

Nous étions assis face à face. Un bureau assez modeste nous séparait. Au mur, il y avait un portrait de Karl Marx et des proclamations en russe. Une grosse pierre de l'Oural comprimait des papiers accumulés sur un guéridon. Par les deux hautes fenêtres, ouvertes sur la Wilhelmstrasse, on apercevait l'ancien palais du prince Joachim-Franz, flanqué de bouquets d'arbres, comme un carré de viande froide entre deux touffes de persil.

Monsieur Leonid Vladimirovitch Varichkine fumait une cigarette de luxe, longue de quinze centimètres. Une perle bien orientée ornait sa cravate, simple mais de bon goût. Je m'étais demandé un peu naïvement si je trouverais ce représentant des Soviets en salopette égalitaire et prolétarienne. J'avais eu tort. Il était habillé comme un bourgeois correct, sinon élégant. Grâce aux lettres d'introduction que je lui avais remises, notre premier contact avait été cordial et dépourvu de formalisme. On m'avait dit, d'ailleurs, que les personnes titrées sont toujours

71

bien reçues par les bolcheviks à l'étranger. Monsieur Varichkine, en effet, m'avait semblé fort aimable. Rien dans son aspect n'évoquait le goût des récréations sanguinaires. Ses cheveux lisses et noirs, jetés en arrière, son collier de barbe noire courte et bouclée, son teint olivâtre et ses pommettes un peu saillantes trahissaient un atavisme tartare, ce qui n'empêchait pas monsieur Varichkine de se conduire avec la plus parfaite courtoisie d'un diplomate occidental. Il avait feuilleté mon dossier avec gravité.

Il avait compulsé des documents d'État, comparé des dates. Puis il avait déclaré :

— Tout cela est authentique, mon cher prince... Les actes de propriété de Lord Wynham sont dûment enregistrés dans cette statistique des terrains détenus jadis par des étrangers... Je dis jadis car vous savez que la terre a été socialisée chez nous. Par décret du 26 octobre 1917, le droit de propriété a été annulé pour toujours et la terre prêtée au seul travailleur qui peut l'exploiter. Mais en 1920 mes camarades de Moscou, ayant jugé qu'il était opportun de ne pas repousser les offres du capital étranger, ont décidé qu'il serait, dans certains cas, accordé des concessions. Vous me dites que Lady Wynham désire, avec le concours de capitalistes anglais, mettre en valeur les richesses pétrolifères du territoire dont elle est l'héritière légale. Je vais étudier le principe de l'affaire qui est d'importance, puisqu'elle représente une mise de fonds d'au moins quatre-vingts à cent millions de francs.

— Monsieur Varichkine, Lady Wynham vous serait personnellement reconnaissante d'activer les démarches en question.

Nous discutâmes plus avant. Après une demi-heure de conversation, le délégué des Soviets avait quinze bouts de cigarettes dans sa sébile et le ton de notre dialogue avait pris un tour plus familier. Il était évident que monsieur Varichkine s'intéressait moins à l'affaire en soi qu'à la personnalité de Lady Diana et que je ne lui étais point antipathique.

— J'ai beaucoup entendu parler de la veuve de Lord Wynham. Car entre deux études économiques, je ne néglige pas la lecture des illustrés anglais. On dit que votre amie est la plus belle femme de Londres ?

— L'une des plus belles, assurément.

— C'est même un caractère.

— Plus qu'un caractère : une vraie femme.

— Il ne me déplaît pas d'avoir affaire à une créature d'exception... Écoutez-moi, mon cher prince, j'aimerais que vous me donniez quelques détails sur elle. Mais comme mon temps est mesuré cet après-midi, voulez-vous me faire le plaisir de dîner avec moi ?... Un petit dîner de garçons, en « chambre séparée » comme on dit à Berlin ?

— Avec plaisir.

— Fort bien : j'irai vous prendre ce soir à huit heures à l'hôtel Adlon.

Je m'étais levé. Au même instant, la porte du bureau s'ouvrit brusquement et une petite femme brune, vêtue d'un tailleur gris très simple, entra d'un pas délibéré comme si elle avait accès à toute heure du jour dans le bureau du délégué. Bien que j'ignorasse encore son identité, je fus frappé par le regard de cette femme qui avait lancé vers moi un coup d'œil péremptoire. Elle était assez jolie, mais sa petite bouche mince n'exprimait pas la bienveillance et ses prunelles de lazulite pâle n'étaient rien moins qu'angéliques. Elle tenait dans sa main un long télégramme officiel qu'elle lança dédaigneusement sur le bureau de monsieur Varichkine et déclara d'une voix de contralto inattendue, en haussant les épaules :

— Vous lirez la dernière bourde de Stefanovitch... Il refuse le visa des techniciens de Hanovre qui devaient aller surveiller la réfection des turbines de Kazan. C'est absurde !

Mais monsieur Varichkine semblait trouver moins d'attraits aux turbines de Kazan qu'à la mission dont j'étais porteur. Il me présenta :

— Ma chère... Le prince Séliman... de Londres...

Et il ajouta, en montrant la petite femme brune :

— Madame Irina Alexandrovna Mouravieff.

Je baisai la main de la célèbre madame Mouravieff et l'observai en celant ma surprise. Après les propos qu'avait tenus Semevski, je m'attendais à voir une amazone qui, à défaut d'un sein coupé, s'imposerait à ma considération apeurée par le port altier d'une dompteuse ou l'allure farouche d'une Grande Mademoiselle ressusci-

74

tée sur la perspective Newsky. Je constatai une fois de plus que notre imagination est une accoucheuse de fantômes qui s'effacent au souffle de la réalité. Qui donc aurait cru que cette petite dame vêtue de gris avait joué un rôle effrayant dans les répressions sanguinaires de 1918 et que les oukases de ses lèvres fines avaient eu la signification de sentences fatales ?

Monsieur Varichkine ajouta :

— Ma chère, le prince Séliman est venu s'entretenir d'une demande de concessions de pétrole en Géorgie de la part des héritiers de Lord Wynham. Il m'a invité à dîner ce soir. Nous causerons de cette affaire.

L'explication du délégué me donna à penser. Il parlait des héritiers de Lord Wynham et non de Lady Diana. Il m'attribuait l'invitation à ce dîner, tête à tête, alors que je devais être son hôte. Pourquoi ?

Madame Mouravieff me dévisagea de nouveau.

— Vous êtes le mandataire de ces héritiers, prince ?

— Oui, madame.

— Ils sont nombreux ?

Je sentais le regard de Varichkine peser sur moi. J'eus l'intuition qu'il me saurait gré de ne pas dire la vérité. Je répondis :

— Ils sont deux enfants mineurs, madame, représentés par un tuteur légal.

Je me tournai vers Varichkine et je devinai qu'il était satisfait. Mais madame Mouravieff revint à la charge :

— J'ai lu hier dans un journal de Londres un article sur Lady Wynham. Elle a dansé nue dans un théâtre, au grand scandale du public... Est-ce une des parentes de Lord Wynham ?

— C'est sa veuve. Mais elle est pourvue d'un apanage paternel et n'a aucun droit à la succession du défunt Lord.

— Ah ?

J'échangeai quelques autres répliques avec cette redoutable partenaire et me retirai. Dans le couloir, monsieur Varichkine me serra fortement la main et murmura :

— Merci... À ce soir, sans faute.

Je sortis de la maison des Soviets quelque peu perplexe et jusqu'à l'heure du dîner, je ne pus chasser de mon esprit la silhouette menue, frêle, inquiétante de madame Mouravieff, bourreau des cœurs et tortionnaire des corps.

∽

— C'est le portrait de Lady Wynham ? me demanda Varichkine en prenant négligemment le cadre d'or qui ornait ma table, dans ma chambre d'hôtel.

— Oui. Comment la trouvez-vous ?

— Superbe...

Il se pencha un peu plus sur la photographie. Ses yeux noirs brillaient. Sa bouche avait une moue de convoitise. Il répéta :

— Superbe vraiment... Toute la finesse d'une race dans un corps stylisé.

Puis, brusquement :

— Mon cher, vous êtes un diplomate-né... Vous avez bien fait de passer sous silence l'intérêt de Lady Wynham dans cette affaire.

— Il m'a semblé que vous aimiez mieux cela. Madame Mouravieff, si je ne me trompe, est mêlée de près à votre carrière politique ?

— Mêlée de près !... Huâ ! Huâ !... (Varichkine eut un rire qui résonnait comme des claquements de knout.) Vous voulez dire qu'elle me tyrannise depuis huit ans qu'elle a dormi pour la première fois dans mon petit lit de menchevik timoré ! Voyez ce qu'elle a fait de moi !

— Toutes les égéries sont un peu absorbantes.

— Madame Mouravieff me résorberait totalement si je ne réagissais... Mais je vous fais des confidences, mon cher...

— Mon cher, elles tombent en des oreilles sûres et amies.

— Il y a des sympathies spontanées, n'est-il pas vrai ? Une cigarette ?... Non ?... C'est effrayant ce que je fume... Quand je couche avec une femme, je fais plus de trous dans les draps qu'un pope en bénirait...

— Je suis prêt, Varichkine. Où allons-nous dîner ?

— Au Walhalla, Bellevuestrasse... J'y suis connu. Nous aurons du caviar frais arrivé par la valise. C'est moi qui le leur envoie quand je dîne là... Avec cinq ou six fioles de Heidsieck Monopole 1911, ça passera... Ces imbéciles ne voulaient pas m'en servir ces temps derniers, à cause de la Ruhr... Je leur ai dit : « Si vous occupiez la Champagne, est-ce que les Français ne boiraient que de la petite bière ?... » Ce sont des rustres, mon cher... Des rustres prétentieux, à épaulettes. Ils n'ont jamais eu qu'une idée de génie dans leur histoire.

— Laquelle ?

— Le wagon plombé de Lénine en 1917.

Une demi-heure plus tard, nous étions attablés tête à tête dans un salon particulier du *Weinrestaurant Walhalla,* un salon gris perle, noir et aubergine, avec des quadrilatères de chintz funèbre, du plus pur munichois. Un tonnelet rempli de petites boules grises, semblables à des œufs de fourmis en deuil, se dressait au milieu de la table, entre quatre citrons aux quatre points cardinaux. Varichkine plongea la cuiller de bois dans le tonnelet, me servit et plaisanta :

— Nous autres bolcheviks, nous ne savons exporter que deux bonnes choses : des théories et du caviar !

La cordialité de Varichkine incitait au franc-parler. Tandis que mon citron pleurait des larmes acidulées sur mes tartines, je confessai :

— Mon cher, c'est une sensation curieuse que d'être attablé en face d'un représentant de l'élite bolchevique... Si du moins vous n'êtes pas choqué que je parle d'élite dans une république communiste !

— Mais non, mon cher... Seuls des logiciens petits-bourgeois s'étonnent qu'il y ait une élite dans un pays égalitaire... Celle-ci est d'ailleurs

78

fort réduite dans le parti auquel j'ai l'honneur d'appartenir. Nous ne sommes que quelques érudits parmi les commissaires du peuple, à savoir : notre bien-aimé Lénine – Dieu ait son âme ! – Kamenev, Lounatcharsky et moi... Trotski est un *koustar* intelligent puis un simple journaliste... Quant à nos camarades Zinoviev, Kalinine, Djerjinski, et combien d'autres, ce sont des illettrés... C'est parfait ainsi... Chacun son rôle et les œufs d'esturgeons seront bien gardés.

— Vous êtes en somme des démagogues professionnels ?

— Professionnels, oui. La démagogie comme la pyrogravure ou l'aquarelle a ses amateurs. En Europe, vous couvez un tas de petits apprentis communistes qui palabrent dans les réunions publiques et qui jouent aux soldats de plomb avec les principes nouveaux...

Varichkine eut une moue méprisante en mordant dans son caviar et continua :

— Jeux d'enfants que tout cela, mon cher... Nous autres, nous avons expérimenté en grand avec cent millions de jouets de chair et de sang. C'est beaucoup plus passionnant... Faire réagir l'acide sulfurique sur du zinc pour avoir de l'hydrogène dans un bocal, c'est de la très mesquine physique bourgeoise... Faire réagir des humains sous le revolver des bourreaux lettons ou hongrois pour obtenir l'âge d'or, voilà du beau travail.

— Vous ne paraissez pourtant pas plus cruel que ça, Varichkine.

— Moi, cruel ?... Mais je ne ferais pas de mal à un papillon. Je possède un fox-terrier dont les pattes de derrière furent écrasées par une auto blindée un jour d'émeute à Moscou. Au lieu de laisser abattre ce pauvre animal à moitié paralysé, je lui ai fait faire un petit chariot de cul-de-jatte avec lequel il avance cahincaha... Krassine me disait un jour en riant : « Votre chien est le symbole de notre Russie qui marche tant bien que mal sur les roues que nous lui avons posées au derrière... »

— La comparaison est assez juste... Mais dites-moi, très cher, comment fait-on pour devenir un bon bolchevik ?

— Fort simple : on renie ses opinions d'hier et on guette le vent qui soufflera demain. Notre vénéré maître Ilitch, dit Lénine, a lui-même beaucoup évolué. Il est devenu révolutionnaire de métier (car, en Russie, c'est une carrière comme une autre). Il a assaisonné avec un art consommé les préceptes de Marx et d'Engels et les réflexions sur la violence de monsieur Georges Sorel... Reconnaissez qu'il n'a pas mal réussi...

— Au prix de combien de tonnes de sang humain répandu ?

— Ah! mon cher... On ne fait pas le bonheur d'un peuple en effeuillant des marguerites et en se demandant s'il m'aime... un peu... beaucoup... passionnément !... Le prolétariat veut sa dictature. Il doit être très satisfait de voir qu'une demi-douzaine de dictateurs qui pensent pour lui l'exercent en son nom. Mais le corollaire de la dictature étant un régime draconien, il est tout naturel qu'il en résulte des pots cassés. Lors du dernier attentat manqué contre Lénine, nous avons fait fusiller cinq cents otages, officiers ou bourgeois, pour venger notre défunt maître. C'est à cela qu'on reconnaît les gouvernements forts.

— Vous n'avez pas peur que la cruauté inouïe déployée pendant votre règne ne vous nuise aux yeux de la postérité ? Vous ne craignez pas un jugement sévère de l'Histoire ?

— Oh ! que vous êtes naïf, mon ami ! La vie est chère depuis la guerre. Mais la vie humaine est bon marché. Quand vingt millions d'hommes ont été victimes des capitalistes ennemis, que signifient quelques dizaines de milliers de Russes immolés au nom des principes sévères ! Quand la haine, la violence, l'envie, l'égoïsme abject, circulent en liberté chez les civilisés, pourquoi nous reprocherait-on de n'avoir pas fait la révolution, la houlette à la main et la flûte de Pan aux lèvres ? Croyez-moi, on est indulgent pour les tyrans qui réussissent et l'on ne jette le pavé de la morale qu'aux ratés de la politique... Voyez votre cher Kerensky, espoir de la bourgeoisie libérale d'Occident... Il a manqué le coche et vous lui reprochez amèrement d'avoir eu les nerfs trop sensibles. Il lui suffisait de nous faire tous pendre, Lénine et consorts... Avec une cinquantaine de belles petites exécutions sans jugement, il écrasait le bolchevisme dans l'œuf ; la Constituante n'était pas bousculée par le matelot

Jelesniakof et vous auriez admiré Kerensky comme le plus grand des hommes d'État... On ne fait pas de révolutions avec des mitaines. La révolution sociale par les voies légales, c'est une balançoire à l'usage des socialistes dyspeptiques, nourris de nouilles à l'eau et de pain au gluten.

— Vous me convaincriez rapidement, mon cher.

Le maître d'hôtel avait enlevé la carpe à la Chambord pour nous servir un succulent poulet à la diable, sur un lit doré de pommes paille. Varichkine faisait honneur à cette cuisine très bourgeoise. Déjà deux bouteilles d'extra-dry dressaient leur larynx vide dans leur cercueil frappé. Il choqua le cristal de sa coupe contre la mienne et, les yeux noirs illuminés d'un sourire indulgent, il badina :

— L'Europe, nous reprocher nos crimes !... Ha ! Ha !... Aimable utopiste que vous faites, mon cher ami !... L'Europe, nous fuir comme des chiens enragés ou galeux ? Ha ! Ha ! Ha !... Quand les rois sont ravis de nous serrer la main ?... Souvenez-vous de la conférence de Gênes !... Quand les représentants du pape mêlent sans répugnance la soie écarlate de leurs soutanes au coton rouge de nos chemises ? Quand la France retire son ambassadeur du Vatican pour nous en envoyer un ? Quand les princesses les plus authentiques donneraient la plus grosse perle de leur sautoir pour nous exhiber à leur droite dans leur salle à manger ?...

Il vida son verre, plissa ses yeux, et ajouta après un court silence :

— Quand Lady Diana Wynham manifeste le désir de négocier personnellement avec moi ?

— Je suis sûr, mon cher, que votre personnalité fascinerait Lady Diana.

J'attendais depuis quelque temps cette transition inévitable.

— Ne me flattez pas, ami... Que suis-je pour elle ? Un petit monsieur sans importance. Elle est née. Je ne suis que le fils d'un laquais du tsarisme. Ses ancêtres sont mêlés à l'histoire d'Écosse. Les miens mangeaient des racines, il y a cent ans, et les contemporains de Pouchkine leur zébraient le dos avec une lanière de bœuf...

— Qui sait ?... Si elle vous connaissait, elle subirait peut-être l'étrange attrait qu'ont les Slaves pour nos belles ?

Varichkine ricana ; le dos en arrière, caressant d'un geste élégant sa barbe noire, comme un jeune premier qui va déclamer sa tirade du deux, il roucoula de sa voix chantante :

— Ah ! oui... Nous sommes les Moscovites aux dents de loup, les Asiatiques aux yeux avides et louches, dont parle notre grand poète Block, les Scythes qui marchent sous le signe de la tempête, à l'assaut de la civilisation occidentale, pour violer les trois oies blanches de votre Capitole : votre Liberté, votre Égalité et votre Fraternité, cette Trinité bêlante qui regarde passer, aveulie, le cortège sans fin des prolétaires asservis... Sincèrement, mon cher, croyez-vous que Lady Wynham pourrait concevoir quelque sympathie pour moi ?

— Varichkine, personne sous le soleil ne peut prédire les réactions sentimentales d'une femme, parce que : Femme, plus Homme, plus Ambiance, égalent X... Cette équation se pose un million de fois par jour sur la vaste terre et donne un million de solutions variées.

Nous échangeâmes quelques lieux communs sur la femme, tandis qu'après la mousse de foie gras glacée au porto, nous dégustions un soufflé praliné, arrosé d'asti. En vérité, cet aimable bolchevik me traitait fort décemment. Une intimité parfaite nous unissait déjà. Je ne comptais plus ses « mon cher » réitérés et je me réjouissais secrètement de voir l'excellente tournure que prenait ma mission. Après l'entremets, je jugeai que l'heure des propos définitifs était venue et, certain de ne pas choquer mon amphitryon, je lui dis :

— Écoutez-moi bien, Varichkine... Nulle oreille ennemie ou simplement indiscrète ne nous entend. Je vais donc vous parler très carrément, tout à fait en camarade... Je vous ai dit l'essentiel au sujet de Lady Diana. Vous m'avez laissé espérer que l'affaire était réalisable, pour peu que vous usiez de toute votre influence à Moscou... Laissez-moi donc préciser les instructions que Lady Diana m'a données... Lady Diana sait l'importance capitale de votre concours en cette occurrence. Elle entend apprécier votre collaboration à sa juste valeur en vous réservant, le jour où la société sera constituée, une partie de ses actions d'apport et une...

Varichkine m'avait interrompu d'un geste. Il caressa de nouveau l'astrakan de sa barbe frisée, plissa ses paupières sardoniques et se pencha au-dessus du compotier de pêches, la senestre crispée sur la bouteille de dry :

— Lady Wynham est belle. Vous lui direz que les présents d'Artaxerxès me laissent froid et que je contresignerai les papiers de sa concession lorsque l'aurore l'aura surprise entre mes bras...

Et comme je restais muet de surprise, il ajouta :

— Je compte sur vous, mon cher, pour lui communiquer cela moins crûment. Avouez, d'ailleurs, que mon intervention vaut bien une nuit d'amour... Et puis, que voulez-vous, il me plairait à moi de connaître les baisers d'une grande dame inaccessible aux humbles et dont les ancêtres sont cités dans les précis histo-riques... Nous avons tous nos faiblesses... Vous m'apporterez l'espoir de satisfaire la mienne. Merci d'avance.

Je promis à Varichkine de faire connaître ses conditions. Il en parut fort aise et comme il avait bu plus que moi, sa gaîté croissait de quart d'heure en quart d'heure. Il mit tout à coup son couteau d'argent entre ses dents et s'écria, jovial :

— Regardez-moi... Je suis le péril rouge !... Vous savez bien, le croquemitaine des démo-crates français... Mais je ne ferai peut-être pas peur au sang bleu de Lady Wynham ?

Puis, devenant soudain grave, il chuchota :

— Inutile de vous recommander la plus stricte

discrétion, à cause d'Irina... Si jamais elle apprenait quelque chose, mes jours seraient comptés... Et les vôtres aussi, je pense.

— Varichkine, je vous suis très obligé de me prévenir.

Il appela le maître d'hôtel et ordonna :

— Franz, faites monter à présent le dessert...

Et comme je m'étonnais parce que nous avions fini de dîner, il m'expliqua très aimablement :

— Je parle du dessert vivant... Je tiens à vous prouver que nous autres bolcheviks nous savons être talons rouges.

— Dame... À force de marcher dans le sang.

Il éclata de rire et s'exclama :

— Voilà un bon mot que je colporterai pendant les entractes du prochain Comité Panrusse des Soviets... Mais, regardez le dessert annoncé, mon très cher...

Deux femmes avaient franchi la porte de notre salle à manger mortuaire ; deux Berlinoises en robe du soir, décolletées avec excès et fardées sans mesure. Des demi-mondaines habituées du Palais de Danse et des restaurants de nuit du Kurfürstendamm. Varichkine me les présenta en ces termes :

— J'ai commandé une brune et une blonde... Franz ne nous a pas trop mal servis, n'est-ce pas ?

Et, tourné vers les deux courtisanes, il demanda :

— Comment vous nommez-vous ?

— Frieda et Lieschen, répondit la brune.

Frieda, c'est moi... Lieschen, c'est ma camarade... Et vous, comment vous appelez-vous ?

Varichkine les toisa, hautain :

— Mon ami est monsieur Müller et moi je suis monsieur Schmidt. Vous n'avez pas besoin d'en savoir plus. Vous êtes ici pour nous distraire...

La brune s'excusa, bonne fille :

— Oh ! vous savez, nous autres, on s'en balance après tout...

Et la blonde surenchérit :

— L'essentiel, c'est de nous offrir à boire, n'est-ce pas, mes trésors ?

Varichkine très courtoisement me dit :

— Laquelle voulez-vous ?

— Après vous, Varichkine... protestai-je.

Pendant que nous faisions assaut de politesse, la blonde et la brune attendaient avec la placidité de deux bovidés enrubannés. La blonde, dodue comme beignet dans sa robe pailletée tango, remettait son soutien-gorge en bonne place d'un geste machinal. La brune, musclée comme un andabate, exhibait des pectoraux d'acier trempé et des hanches en voussures de pierre de taille. Elle s'était tournée pudiquement du côté du mur pour rattacher sa jarretelle sous sa robe de chiffon vert amande.

— Pile pour Frieda, face pour Lieschen, suggéra Varichkine en lançant un dollar sur la table.

— Face...

— Pile !... J'ai gagné Frieda...

Il fit signe à la brune qui vint docilement

s'asseoir sur ses genoux tandis que Lieschen me prenait par le cou en gloussant :

— *Schatz !* Je vais boire ton verre. Je connaîtrai tes pensées !

Varichkine tourna un commutateur... Les lampes, contre le chintz des murs, s'éteignirent. Je n'éprouvais nulle joie à me sentir exposé aux privautés de Lieschen dans cette obscurité quasi totale. Mais comme il eût été malséant que je ne goûtasse point les prévenances de mon amphitryon, je ne protestai pas. Tout à coup, un cri rauque jaillit. Il y eut un coup de pied dans la table. Un verre se brisa sur une assiette. La voix de Frieda articula en argot berlinois :

— *Ach !*... Chien de cochon... Tu m'as mordue jusqu'à l'os !

Lieschen murmura dans mon oreille :

— Ton camarade est donc un type à passions ?

Je m'efforçai de la rassurer. Quelques minutes passèrent. Lieschen, étendue sur le sofa à côté de moi, absorbait, heureuse et béate, les coupes d'Heidsieck que je lui versais à tâtons. J'entendais des mots chuchotés de l'autre côté de la table et des froissements d'étoffe qui ressemblaient à des vols de papillons nocturnes derrière un rideau de mousseline. La molle détente d'un élastique fut suivie d'un craquement de ressort et d'un « ach du !... » énamouré. Puis soudain un hurlement de douleur retentit. La table fut renversée et la vaisselle se brisa dans un cliquetis de couverts et de porcelaine cassée. Il y eut un bruit de lutte suivi d'un râle de Frieda :

— Au secours ! À l'assassin !

Inquiet, je rallumai l'électricité et vis la malheureuse qui comprimait son sein gauche échappé de sa chemise déchirée. Elle avait du sang sur la gorge et les mains. Elle grimaçait de douleur. Varichkine s'était posté devant la porte pour l'empêcher de se sauver.

— Mais qu'y a-t-il ? m'écriai-je.

— Lieschen... gémit Frieda. Appelle la police... Cette brute... m'a enfoncé... la... fourchette à dessert... dans... dans... le sein.

La blonde aux paillettes tango s'était dressée, épouvantée. Varichkine très calme me dit :

— Empêchez-la, mon cher... Bâillonnez-la... Le scandale est superflu. Frieda est une douillette qui ne comprend pas la plaisanterie...

— Assassin !... Assassin !... Assassin !

Elle lançait cela d'une voix dolente, la face crispée, avec des « han » de souffrance. Lieschen en proie à une crise de nerfs se roulait sur le sofa et grignotait ma serviette. Je commençais à déplorer d'avoir accepté l'invitation de monsieur Leonid Varichkine. Il comprit d'ailleurs ma réprobation muette et déclara avec une aimable bonhomie :

— Cela n'a pas d'importance, cher ami, même si cette poule mouillée se plaint... L'immunité diplomatique me protège...

Puis il s'efforça de consoler sa victime :

— Mon Dieu, ma petite, êtes-vous donc si sensible ?... Allons, vous guérirez ce bobo avec ce billet de cinquante dollars...

Tandis que je mouillais les tempes de Lieschen avec du Champagne, Varichkine pansait la blessure de Frieda avec une serviette saupoudrée de sel et imbibée de cognac. Une demi-heure plus tard, les deux belles de nuit s'en allaient à peu près calmées, la blonde soutenant la brune, dont la poitrine était emmaillotée de blanc. Varichkine, généreux, leur glissa encore deux banknotes dans les mains et leur tapota les épaules, paternellement.

Quand elles eurent disparu, il remarqua avec dédain :

— Des femmelettes, n'est-ce pas ?...

Et, ramassant la bouteille de cognac qui, par miracle, n'était pas cassée, il en remplit deux grands verres et constata :

— Vraiment, mon cher, on ne sait plus s'amuser à Berlin !...

∽

La même nuit, rentré à l'hôtel Adlon, je rédigeai le télégramme suivant à l'adresse de Lady Diana :

« Vu personnage. Consent vous aider mais actions apport refusées. Exige paiement en nature. Réfléchissez et câblez décision. Amitiés. Gérard. »

Le lendemain matin le soleil luisait, éclairant la façade Louis XV de l'ambassade de France que j'apercevais de ma fenêtre, ouverte sur la

Pariser Platz. Je résolus d'aller me promener dans le Tiergarten. Je traversais le hall de l'hôtel quand un chasseur m'aborda :

— Excellence... Ce monsieur désire vous parler.

Il me montra derrière lui un individu vêtu sans élégance et qui m'attendait, tête nue. L'inconnu s'approcha, me déclara en allemand, avec un fort accent russe, qu'il avait un message à me remettre en mains propres et me tendit une enveloppe blanche.

— Vous venez de la part de la délégation des Soviets ?

L'homme eut un geste évasif et s'en alla. Intrigué par ce mystère, je décachetai l'enveloppe et lus ces lignes écrites d'une écriture grêle, mais régulière :

« Monsieur, vous m'avez trompée hier, en prétendant que Lady Diana Wynham n'était pas l'héritière des terrains de Telav. Ce mensonge puéril ne fait pas honneur à votre flair, car vous auriez dû vous douter que je serais renseignée dans les vingt-quatre heures. Vous permettrez donc à une faible femme de vous offrir un conseil : abstenez-vous à l'avenir de vous occuper des intérêts de votre belle Écossaise en Géorgie. Sinon, vous vous exposeriez à de graves dangers... Irina Mouravieff. »

Je lus deux fois ce message menaçant et j'évoquai le regard de la faible femme qui l'avait signé. Ce regard me poursuivit au long de ma promenade, jusqu'au monument de Richard

Wagner. Je revoyais madame Mouravieff dans son petit tailleur gris, si correct, si simple, telle qu'elle m'était apparue dans le bureau de Varich-kine ; madame Mouravieff, terreur des prévenus de la Loubianka et pourvoyeuse de la camarde, dans les sous-sols de la sinistre geôle... Un avertissement de cette femme n'était pas négligeable.

5

Le choc d'une lourde malle sur le parquet de la chambre voisine me réveilla. Il était neuf heures à ma montre. Je venais de m'arracher à un cauchemar baroque, peuplé de ballons d'enfants qu'une main satanique lardait à coups de canif. Le garçon m'apporta mon *breakfast*. Je lui demandai :

— On emménage à côté ?

Il eut un sourire équivoque :

— Oui, Excellence... Une jolie femme... Et comme dit le vieux proverbe thuringien : mieux vaut une jolie fille de l'autre côté du mur qu'une goton brèchedent de ce côté-ci du drap...

Le larbin initié au folklore germanique fit demi-tour et sa queue-de-pie s'envola derrière la porte. J'allais beurrer un toast quand on frappa derechef. Le même garçon reparut, se mit au garde-à-vous rituel et me dit :

— Pardon, Excellence, la dame d'à côté demande que j'ouvre la porte qui fait communiquer votre chambre avec la sienne.

J'allais m'étonner de cette prétention insolite

quand j'entendis une voix rieuse qui appelait, derrière l'huis laqué crème et or :

— Hello ! Gérard C'est moi...

Lady Diana entra. Elle était encore en costume de voyage. Je m'excusai de la recevoir dans le simple appareil d'un pyjama pervenche, mais elle me ferma la bouche avec sa main gantée. Elle m'embrassa comme une grande sœur heureuse de retrouver son cadet et s'écria :

— Qui est-ce qui est surpris ? C'est Gérard... Vous ne m'attendiez pas si tôt, n'est-ce pas ?... Mais je suis une femme de décision. J'ai reçu votre câblogramme hier à onze heures... À une heure je filai via Douvres et Vlissingen... Et me voilà... Gérard, j'ai faim. Vous permettez que je vous prenne une grillade et que je hume un petit doigt de votre café au lait ?

J'étais vraiment heureux de retrouver Lady Diana. Elle était charmante en tweed farine de lin, coiffée d'un petit toquet de cuir fauve... Elle tira une houpette de son sac en crocodile mauve et se poudrant prestement, avec une impatience excusable, elle m'assaillit de questions :

— Alors, vous avez vu le bolchevik ?... Lui avez-vous bien exposé l'affaire ?... Je n'ai pas compris votre dépêche... Il exige un paiement en nature... Voulez-vous dire en naphte ou en baisers ? Prétend-il obtenir un de mes puits ou une place dans mon lit ?... Avez-vous son portrait au moins ? Il est sale, n'est-ce pas ?... Le savon coûte cher à Moscou, je pense... Je vous en prie, Gérard, parlez-moi, je veux tout savoir.

Je lui fis un compte rendu exact de ma mission, tandis que ses jolies dents ciselaient des lunules dans mon dernier toast. À la fin, elle hocha la tête et conclut :

— J'ai compris. Les données du problème sont claires. Ce garçon peut me faire obtenir la concession... Toute la question est de savoir si quinze mille dessiatines de terre caucasienne valent une nuit d'amour... Qu'en pensez-vous, Gérard ?

— Ma chère, cela dépend de la valeur que vous attribuez à une nuit d'amour. Je connais d'innombrables femmes pour lesquelles je ne donnerais pas un arpent de terre arable à Gennevilliers. J'en ai rencontré d'autres dont les faveurs vaudraient à la Bourse d'Eros cinq hectares de pins dans les Landes... L'équivalence agronomique d'une femme n'est pas codifiée avec précision. Il y a tant de créatures dont le cœur est un terrain vague et dont le giron exigerait d'être bien phosphaté. En ce qui vous concerne, la Beauce et tous ses blés, le Bordelais et tous ses vignobles ne paieraient pas assez la saveur de vos baisers.

Lady Diana me lança gentiment un napperon damassé au visage.

— Gérard, je ne vous demande pas de me flatter. Je désire une opinion sincère.

— Mon opinion est qu'il faudra vous méfier si vous acceptez le marché de Varichkine.

— Me méfier de qui ?

— De madame Mouravieff. Vous ne connaissez

pas cette femme. Un hooligan au coin de Whitechapel Road m'inquiéterait moins que madame Mouravieff derrière un guéridon Empire.

Lady Diana leva la tête. Elle rougit ses lèvres devant sa glace de poche, me regarda de côté, à travers la lisière de ses longs cils, coiffa sa pâte raisin de son petit chapeau doré et dit :

— Gérard, me croirez-vous si je vous déclare que je tenterai peut-être l'aventure à cause d'elle ?

— Je le croirai volontiers. Vous avez le goût du risque.

— Votre Irina ne me fait pas peur, vous savez.

— Pardon, elle n'est pas à moi. C'est Varichkine qui est à elle.

— Tant mieux !

— Vous allez braconner sur ses terres... Que la vierge de la Tchéka vous protège !

— Pardon, mon petit Gérard... Vous oubliez les purs principes du communisme qui doivent être si chers à madame Mouravieff... Tout est à tout le monde. Rien n'est à personne. La propriété individuelle n'existant plus, nous pouvons nous partager le cœur de monsieur Varichkine.

— Hélas, ma pauvre amie, jamais les femmes ne nationaliseront leurs amants.

Lady Diana, assise sur le bord de mon lit, se pencha pour se regarder dans la glace inclinée d'une coiffeuse contre le mur opposé. Elle enleva son toquet de cuir, l'envoya sur le canapé, secoua ses cheveux et s'interrompit tout à coup pour me demander :

— N'avez-vous rien laissé tomber sous votre lit?... Là-bas... derrière le pied gauche?

Je découvris, en effet, un objet dont la présence sous ma couche n'était rien de moins qu'insolite... Une minuscule conque d'ébonite montée sur un petit plateau, muni de fils conducteurs qui disparaissaient sous le tapis.

— Hé! Hé! murmurai-je. Quelqu'un semble s'intéresser à notre conversation.

Je fis signe à Lady Diana de parler bas. Elle se baissa à mon côté et contempla curieusement l'objet.

— C'est un microphone... dis-je.

Je me relevai, pris un mouchoir et l'enfonçai dans la petite cuvette noire.

— Maintenant, ma chère, inutile de chuchoter. On ne nous entend plus...

Je tâtai la carpette et sentis les fils, comme des veines sous la peau, qui se dirigeaient vers la porte de communication avec la chambre de gauche.

— Nous avons un voisin qui ne veut pas perdre un mot de notre dialogue, voilà tout.

— C'est bien simple... Coupez les fils, Gérard.

— Non pas... Mieux vaut qu'on ignore que nous savons.

— Mais qui a bien pu poser cet appareil à votre insu?

— Un garçon d'étage acheté par les curieux...

Lady Diana ne parut nullement alarmée. Elle me prit affectueusement par le cou et déclara, joyeuse :

— Gérard, c'est amusant... Je suis comme toutes les femmes, j'aime le mystère et il me déplaît de triompher trop facilement. La lettre de madame Mouravieff que vous m'avez montrée et ce petit appareil sous votre lit sont les condiments qui conviennent à ce *zakouski* moscovite... Vous préviendrez monsieur Varichkine que je l'invite à dîner demain soir dans mon salon particulier, avec vous... Pour le présent, je vais dire à Juliette d'ouvrir ma malle et me plongerai dans un bain chaud. Ensuite, je ferai monter le coiffeur... Onduler se dit *onduliren*, n'est-ce pas ?... Et pourboire ?... *Trinkgeld* ?... Bien. À midi, vous commanderez une auto et nous irons déjeuner tous les deux à l'île des Paons, du côté de Grünewald... Ce soir, je compte sur vous pour m'arranger une petite vadrouille à Charlottenburg, dans les boîtes de nuit... Je veux m'accorder vingt-quatre heures de permission avant de penser aux affaires sérieuses.

∽

— Mon cher Varichkine, dis-je en entrant dans le bureau du délégué, je suis venu ce matin même vous annoncer quelque chose qui ne sera point pour vous déplaire.

Varichkine me tendit son coffret de cigarettes et plissa les paupières d'un air entendu :

— Je sais... Elle est arrivée... Appartement 44, à l'Adlon... Contigu au vôtre... Elle était vêtue de marron et coiffée de cuir fauve.

— Vous l'avez vue ?

— Non. *On* l'a vue. Nous sommes les gens les mieux renseignés d'Europe.

— Mes félicitations...

— Vous ne semblez pas étonné de l'exactitude de ces détails.

— Non, mon cher, mais un conseil... quand vous ferez discrètement poser des microphones dans les chambres de vos amis, arrangez-vous donc pour qu'ils soient moins visibles.

La surprise de mon interlocuteur me déconcerta. Il se pencha sur le bureau, me regarda, incrédule, et répéta :

— Un microphone ?...

Et comme je lui confirmais ma découverte, il caressa sa barbe, pensif, et murmura :

— Ah ! voilà qui est déplaisant...

— Vos sbires n'étaient donc pas au bout du fil ?

— Non... Et je ne vois qu'une personne qui puisse s'intéresser à vos propos... Irina... Vous avez bien fait de me prévenir, mon cher... Madame Mouravieff aura senti un rat, comme on dit en Angleterre. Et je vais être obligé de me tenir sur mes gardes... Merci pour l'avertissement. Mais que vous a dit votre chère Lady Wynham ?

— Elle m'a prié de vous inviter à dîner demain soir. Nous serons tous les trois.

— J'accepte avec joie. Mais où ?

— À l'hôtel, dans son salon particulier. Elle a pensé que ce serait l'endroit le plus discret et qui vous conviendrait le mieux.

Varichkine réfléchit :

— Oui... je prendrai mes précautions... À propos, j'ai télégraphié à Moscou et je crois que l'affaire peut réussir en principe...

— Ah ! tant mieux.

Le délégué eut un sourire faunesque :

— La solution du problème est maintenant entre les mains de Lady Diana.

Je me levai, serrai la dextre de Varichkine et conclus simplement :

— Entre les... mains de Lady Diana est un euphémisme très convenable... À demain soir, mon cher.

⁓

Lady Diana et moi, nous dînâmes au restaurant Sans-Souci, sur le Kurfürstendamm, ces Champs-Élysées de Berlin W. À notre gauche, une desserte dressait des pâtisseries roses et vertes, festonnées de crème pâle sous des pralinés de moka en quinconce. À notre droite, deux Saxons assaisonnaient le cours des devises avec une salade de harengs de la Baltique mâtinée de museau de bœuf. Derrière nous, deux juives crépues et lippues mangeaient des cure-dents de bois sous leurs mains en cornet.

Le maître d'hôtel venait d'offrir à Lady Diana le manteau d'arlequin d'un plateau chargé de *Delikatessen*. Je lui avais conseillé de goûter aux roulettes appétissantes d'un saucisson de foie de volaille et de pâte d'anchois, quand elle me posa un problème d'ordre physiologique :

— À votre avis, Gérard, est-il plus pénible à un homme raffiné de satisfaire une femme laide qu'il est douloureux à une jolie femme de subir les baisers d'une brute ?

— Pourquoi me demandez-vous cela ?

— Parce que je pense à Varichkine et à ses conditions.

— Je ne crois pas que vous éprouviez pour lui une répulsion caractérisée. Ce délégué des Soviets n'est ni une brute ni un ange. Il ressemble à la plupart des humains dont l'âme est une peau de léopard, mouchetée de vices inavoués et de tares excusables. S'il a contracté auprès des Tchékistes une légère propension au sadisme, il n'en a pas moins conservé des habitudes de civilité puérile et occidentale.

— Est-il capable de plaire à une femme telle que moi ?...

— Oui... Vous connaissez le Caracalla du musée du Vatican, avec sa courte barbe en collier et son regard de viveur satisfait ? Accentuez le type asiatique du fils de Septime Sévère et vous vous représenterez monsieur Varichkine, proconsul de l'empire des Soviets chez les Teutons, gentleman presque parfait, qui chasse l'Aristocrate en Russie, mais l'honore loin du pays de Michel Strogoff, homme d'esprit à ses heures et philanthrope à retardement ; monsieur Varichkine, enfin, qui a eu la généreuse pensée d'inviter les commissaires du peuple à faire

101

empailler un bourgeois russe et à conserver ce *rara avis* dans le musée ethnographique de Moscou, avant que la race n'en ait complètement disparu.

— Et cet homme ne désire de moi qu'une nuit d'amour ?

— Oui.

Lady Diana huma l'or liquide de son Liebfraumilch et conclut en souriant :

— C'est trop ou pas assez. Votre Slave manque de savoir-vivre.

Après le dîner, je l'emmenai, pour tuer le temps, au Theater des Westens où les ritournelles d'une opérette viennoise nous rappelèrent les dimanches sentimentaux des *Maedel* nattées d'or. En sortant du théâtre, Lady Diana emmitoufla dans son manteau de brocart les derniers rythmes de monsieur Franz Lehar et dit en montant dans l'automobile :

— Chéri, montrez-moi ce soir quelque spectacle épicé. Après ces sucreries, je désire goûter le piment vert d'une saturnale clandestine.

— Alors, je ne vous conduirai ni au Palais de danse ni au Fox-Trot-Club. J'ai mieux à vous offrir...

Je lançai une adresse au chauffeur qui démarra en vitesse malgré les signaux courroucés du schupo de service. Nous traversâmes la chaussée du Kurfürst, cette Voie sacrée qui mène au Venusberg des plaisirs interdits et nous nous arrêtâmes au coin de la Fasanenstrasse.

Une villa au fond d'un jardin. Du buis dans

l'allée et du chypre dans l'air. La plainte humaine d'un saxophone perçait les volets clos.

— C'est un *Tanzlokal* assez exclusif, où l'on danse peu vêtus entre gens bien élevés, dis-je à Lady Diana intriguée.

Un valet de pied chamarré comme un *Vortaenzer* à la Cour, jadis, nous débarrassa de nos manteaux. La maîtresse de la maison nous accueillit, adipeuse et souriante. Visage boursouflé, aux zigomas teintés de rose fade. Cheveux safranés, taillés à la serpe. Un rubis en poire entre les deux seins. Je la présentai à Lady Diana :

— Frau Sonnenfeld, plus connue sous le nom de baronne Hilda... Pourvoyeuse des noctambules berlinois et coupeuse de frissons en quatre...

— *Ach Milady, wie reizend* ! fit la baronne Hilda. Charmée de vous recevoir... Nous sommes ici entre personnages de la haute... Extrachic... Les dames de la meilleure société de Berlin W. fréquentent mes salons... Liberté pour tous à condition d'être poli. Je dis cela parce que, l'autre soir, ce fut un *Skandal* terrible... Imaginez-vous qu'un de mes camarades avait amené un Hongrois, un comte authentique... Voui, voui... On m'a même assuré qu'il avait été aide de camp de l'amiral Horthy... Enfin, un parfait homme du monde, n'est-ce pas ?... Eh bien, savez-vous ce qu'il a fait, à deux heures du matin ? Tandis que tout le monde était un peu paf, il a découvert sur un sofa une jeune dame qui cuvait une bouteille de cognac... Du *Französischer Kognac*... Le meilleur... Il a tiré une tondeuse de coiffeur de sa poche et tranquillement il a tondu la tête de la dormeuse... et le reste !

Elle gloussa :

— Et le reste, voui, voui !... Quand l'amant de la jeune dame eut constaté le ravage apporté par le Magyar au système pileux de sa bien-aimée, il bondit sur le coupable, lui cassa un cruchon de kummel sur le crâne et le fit passer à coups de poing au travers de la fenêtre du rez-de-chaussée... Quelle affaire !... Mais si vous voulez bien aller choisir vos kimonos au vestiaire ?

La fête battait son plein. Des hommes et des femmes, à peine vêtus de peignoirs bigarrés, s'agglutinaient au gré des sympathies sur les sofas profonds, tels les récifs de coraux des archipels polynésiens. Tout à coup, les lumières s'éteignirent. Les danseurs se résorbèrent entre les coussins épars.

La baronne Hilda annonça :

— Mesdames et messieurs, vous allez voir la merveille du siècle, la danseuse Lolita, l'ex-maîtresse du prince Barouchkine assassiné par les bolcheviks en 1918.

Un silence. Les dernières ampoules jaunes s'éteignirent. Tout à coup, dans l'obscurité presque totale, une femme phosphorescente surgit. Lolita, complètement nue, s'était badigeonné le corps, jusques et y compris les secteurs les plus cachés de son anatomie, avec la pâte phosphorée qui lui permettait, ombre lumineuse, d'évoluer dans le noir. Elle dansa. Lady Diana se pencha vers mon oreille et murmura :

— On lirait son journal à la sueur de ses seins...

Une petite Berlinoise s'agrippa au col de mon voisin et gémit :

— Ah! qu'elle est belle! Elle me rappelle une statue du Tiergarten à l'ombre de laquelle je me suis donnée à mon filleul, le soir de l'Armistice.

Lolita disparut. *Fiat lux*! Le jazz recommença. Les kimonos s'agitèrent. Nous devisâmes avec la baronne Hilda. Elle minauda :

— Je suis entourée de monstres charmants, n'est-ce pas? Ah! sans me vanter, je puis vous assurer que tout ce que l'Europe centrale compte de détraqués, de demi-fous, de fétichistes, de nymphomanes et d'abouliques, me passe entre le pouce et l'index. L'autre soir n'ai-je point reçu la visite d'un émule d'Harmann, le fou de Hanovre, qui me demanda fort poliment si je ne pouvais pas lui faire boire un peu de sang humain dans une tasse, avec de la fleur d'oranger et du poivre rouge? Un poète, sans doute, n'est-ce pas, Milady?

Lady Diana contemplait curieusement notre interlocutrice à travers les meurtrières de son face-à-main givré de brillants. J'allais parler. Mais quelqu'un sonna. On chuchota derrière les rideaux lourds. Je pensai que les minutes de la baronne Hilda étaient précieuses et qu'il ne fallait pas retarder le plaisir qui déjà guettait les visiteurs, tel un gnome à l'affût, au sourire équivoque. Je donnai cent *Rentenmark* à la baronne et nous nous trouvâmes dans la rue des Faisans.

Lady Diana frissonna. Pour chasser ces visions désespérantes, je m'écriai, affectant un optimisme factice :

— L'humanité semble être une infirmerie pleine de malades... Heureusement, il y en a qui guérissent.

Lady Diana croisa son manteau sur ses épaules nues et répliqua simplement :

— Oui... Ceux qui sont morts.

6

La première rencontre de Lady Diana avec monsieur Varichkine ressembla à la première prise de fer de deux duellistes qui s'observent. Le Russe décocha tout de suite le battement – tirez droit – d'un compliment bien tourné et l'Anglaise ne riposta point. Elle para par la distance.

Cette passe d'armes liminaire eut lieu dans le petit salon de Lady Diana, devant trois cocktails équidistants servis dans des verres de Bohême montés sur échasses de cristal vert. J'avais proposé à Lady Diana de prétexter n'importe quoi pour la laisser en tête-à-tête avec son prétendant. Elle s'y était opposée ; elle avait préféré que je fusse le témoin impartial de ce prologue.

À huit heures, nous nous mîmes à table fort gaiement. Varichkine avait endossé un smoking que nul dandy londonien n'eût renié, un smoking à revers de moire, avec un gilet de faille noire, orné d'une chaîne de montre à breloque symbolique : la faucille et le marteau d'or semés de rubis. Sauf cet insigne évocateur des Soviets, on eût pris Varichkine pour un simple capitaliste. Lady Diana, afin d'honorer son hôte, s'était vêtue – à peine – d'une robe de brocart mauve à ramages argentés et coiffée d'un diadème de brillants et d'émeraudes. Quand le maître d'hôtel fut parti avec le potage, je me penchai ostensiblement sous la table et m'écriai jouant la surprise :

— Tiens !... Personne ne nous écoute...

— Il n'y a pas de ligne de fond dissimulée sous le tapis ? demanda Lady Diana ironique.

Varichkine eut un geste rassurant.

— J'ai pris mes précautions. L'homme qui nous sert est au service de mes informateurs particuliers, tandis que le garçon d'étage, ainsi qu'on me l'a appris hier, est à la solde de madame Mouravieff.

— Voilà qui est plaisant... Vous avez chacun votre réseau d'espions ?

— Il le faut bien ; car je ne vous étonnerai pas, Lady Wynham, en vous disant que vous n'êtes pas *persona gratissima* auprès de madame Mouravieff ; alors, elle emploie à votre égard les procédés usuels dans notre bonne ville de Moscou.

— ... Qui est la capitale de la délation, si je ne m'abuse ?

— C'est exact. La Tchéka sans informateurs serait une jeune mariée sans son alliance... Ou un Soviet sans bourreau !

Je versai du Rudesheimer dans le verre de Varichkine et lui demandai de nous expliquer sa boutade.

— Voyons, mon cher, cela tombe sous le sens.

Nous ne nous dissimulons pas que le gouvernement des Soviets n'est pas l'expression de la volonté de la majorité du peuple russe. Quand vos gazettes communistes en France ou en Angleterre commentent les désirs de l'opinion publique en Russie, elles parlent de l'opinion d'une minorité agissante, mais restreinte... Chez nous, la liberté de la presse a vécu depuis 1918, avec les autres libertés d'ailleurs, et c'est très bien, parce que la liberté est aussi préjudiciable aux peuples qu'aux femmes.

Lady Diana écoutait avec intérêt les paroles de son voisin.

— Mais, fit-elle, comment pouvez-vous vivre dans cette atmosphère d'espionnage perpétuel?

Varichkine lui offrit une de ses meilleures cigarettes, lui donna galamment du feu, et de sa voix la plus douce, il répondit :

— Ma chère Lady Wynham, c'est une habitude à prendre. Notre Tchéka, qui est une sorte de comité de surveillance politique, joue le rôle d'un médecin chargé de tâter le pouls de nos concitoyens à toute heure du jour et de la nuit. Alors elle possède à sa solde des milliers d'infirmiers bénévoles qui auscultent votre porte, qui écoutent vos propos et diagnostiquent vos accès de fièvre blanche.

— On est donc à la merci des dénonciations de ces gens qui, je le suppose, ne pèchent pas par excès d'honnêteté. Qui donc accepte ce métier dégradant?

— Des spéculateurs graciés, des meurtriers

amnistiés, des anciens policiers du tsarisme qui achètent ainsi leur vie sauve ; grâce à leurs révélations, nous écrasons dans l'œuf toutes les tentatives de contre-révolution, ce qui, pour un régime comme le nôtre, est le commencement de la sagesse.

— Mais il doit y avoir de nombreuses accusations imméritées, des délations inspirées par la vengeance, des rapports mensongers ?

— Certes ! Et comme quiconque accusé de contre-révolution, même sans preuves, est passible de la peine de mort, des innocents finissent dans les caves de la Loubianka. Mais cela n'a pas d'importance, car il vaut mieux en fusiller dix que de laisser échapper un agitateur dangereux pour le régime.

Les épaules nues de Lady Diana frémirent imperceptiblement. Elle jeta un regard si étrange sur Varichkine qu'il voulut racheter le cynisme de son aveu. Très gentiment, comme on rassure par de bonnes paroles une petite fille apeurée, il ajouta :

— D'ailleurs, il faut bien vous persuader, chère Lady Wynham, que la Terreur rouge a probablement fait plus de victimes qu'elle n'en fera... Il faut oublier le passé... Les morts vont vite, vous le savez... Entre nous, dites-moi si les derniers souverains européens pensent encore au massacre du tsar et de sa famille ? Le destin tragique de ce potentat disparu empêche-t-il le roi d'Espagne de courir le guilledou dans les lieux de plaisir et le prince de Galles de se déguiser en escarpe dans les bals costumés ? Alors, ne soyez pas plus royaliste que les rois, ces vivants fossiles d'un âge périmé, et ne vous préoccupez donc pas du sort de dizaines de milliers d'aristocrates ou de bourgeois qui seraient morts un peu plus tard de paralysie générale ou de l'appendicite... Mon cher ami, Danton, Marat, Robespierre, sont de grands noms dans l'histoire de France. Ma chère Lady Wynham, vous ne rougissez pas d'être la compatriote de Cromwell qui fit trancher la tête de votre roi Charles Ier ?... Voulez-vous me dire en quoi la hache ou la guillotine valent mieux que les brownings de nos bourreaux ?... Nous avons fait plus de victimes ? Oui, mais nous sommes plus de cent millions de Russes. La proportion de rescapés reste à peu près la même. Et puis après tout, nous ne faisons qu'imiter les Américains.

— Comment cela ? fis-je, étonné.

Varichkine vida son verre et ajouta :

— Nous tuons en série, comme monsieur Ford. Mais ce n'est pas avec des automobiles.

Lady Diana entrouvrit ses jolies lèvres, laissa des volutes de fumée céruléenne monter en spirales lentes vers le lustre, et conclut :

— Monsieur Varichkine, vous m'effrayez.

Le Russe protesta :

— Oh ! *dear* Lady Diana... vous ne parlez pas sérieusement... Moi, un petit bonhomme si modeste, vous inspirer de la peur ? Mais je vous jure que vous avez eu autour de vous des aristocrates britanniques ou des banquiers cosmopolites qui cachaient sous leur inoffensif aspect des âmes de satrapes... Croyez-vous donc que l'on naît tyran comme on naît musicien ou contribuable ? La cruauté des tyrans, qu'est-elle en somme ? La manifestation de l'instinct de conservation. Rien de plus. Un rond-de-cuir sans envergure amené par le destin à commander à des millions d'individus qui le haïssent deviendra un parfait Caligula. Ne croyez pas qu'il fasse mourir ses semblables pour leur conserver un chef... Il les supprime pour écarter des assassins éventuels. Car il y a des Tamerlan qui s'ignorent comme il y a des amoureuses non encore révélées...

J'attendis que le maître d'hôtel eût servi le rôti pour objecter :

— Vous oubliez la cruauté volontaire de l'apôtre, convaincu qu'il travaille pour le bien de l'espèce, mon cher... Toute foi profonde a engendré l'outrage à l'humanité. Torquemada et Ximénès, qui appliquaient les directives du concile de Vérone, ont eu pour successeur Lénine semant la mort pour imposer les idéals de la IIIᵉ Internationale. Vos hérétiques sont ceux qui répudient le bonheur selon la formule de Marx et vos apostats sont les millions de civilisés qui adorent les dieux – de faux dieux selon vous – de la Liberté individuelle, de la Justice égale pour tous et de la Tolérance... Car la plus cruelle ironie de votre cas, c'est que les innombrables socialistes russes qui depuis trente ans subissaient les rigueurs affreuses de l'oppression tsariste, demeurent à présent séquestrés dans les mêmes geôles, par la volonté de leurs camarades révolutionnaires d'antan... Il y a cependant moins loin du socialisme réformiste et pacifique à l'absolutisme de Nicolas II qu'à l'autocratie communiste... Et pourtant les répressions inhumaines de l'ancien régime impérial n'ont fait que changer de nom ; l'aigle bicéphale s'est muée en étoile rouge et la Tchéka a remplacé l'Okhrana.

— Nul bolchevik sincère ne le contestera, cher ami... Mais, moi, je vous répondrai que si la bête humaine s'est réveillée, c'est la faute de votre guerre mondiale qui a aiguisé l'appétit de la Mort. La psychose guerrière est à présent déchaînée sur la terre... Une fièvre immense la dévore... Notre planète a la scarlatine... Le sens de la vie a perdu de son importance et les nerfs de l'homme se sont émoussés... Les rats s'éparpillent dans la plaine. Les microbes s'entretuent... Vos impérialistes ont lancé leurs légions par-delà les frontières... La bataille continue entre les classes... C'est la vitesse acquise. On ne se bat plus entre Français, Allemands ou Bulgares, on se bat sans explosifs, entre bourgeois et prolétaires, à l'intérieur des nations. C'est la lutte en vase clos. Les globules blancs et rouges se défient sous la peau du corps social. Il n'y a plus comme naguère un front unique, de la mer à la Suisse. Il y a autant de fronts de combat que de villages, autant de boyaux que de quartiers, autant de blockhaus que de maisons. Vous ne voulez pas comprendre, Occidentaux présomptueux, que vous vivez dans vos pays à l'état de conflit latent et sournois. Vous êtes mobilisés du premier au dernier jour de l'année. Les forces adverses s'entremêlent et s'observent, se guettent et se défient, en attendant les premières vagues d'assaut...

Lady Diana esquissa un geste de protestation. Varichkine reprit :

— Soyez sincère, Lady Diana, et dites-moi si, dans votre luxueuse maison de Berkeley Square, vous n'êtes pas campée jour et nuit en face de l'Ennemi... Quel ennemi ?... Mais votre femme de chambre qui vous envie et votre chef qui vous vole, en attendant mieux... Et le plombier qui installe votre salle de bains, et le serrurier qui vient consolider vos verrous... Un chômeur passe sous vos fenêtres... Il rêve de s'emparer de votre foyer. Il franchit le *no man's land* du vestibule et frappe à la porte. Vous tirez sur lui avec le 75 d'une aumône... Vous le repoussez avec la grenade à main d'une homélie ou d'une promesse... L'ennemi se retire, mais un jour il reviendra, et malgré les tirs de barrage de votre philanthropie illusoire, il vous chassera de votre redoute. Vous vivez tous dans une sécurité trompeuse... Vous ne vous êtes jamais demandé pourquoi les bonnes places dans les théâtres ne sont pas envahies, un beau soir, par des milliers de prolétaires que la police serait impuissante à déloger ? Pourquoi dans les gares les pauvres vont s'entasser docilement dans leurs wagons de troisième classe, quand rien ne les empêcherait de se vautrer dans les sleeping-cars ? Pourquoi les sansabri n'expulsent pas des boîtes de nuit les heu-

114

reux du monde pour y déguster le Champagne à leur place ? Vous trouvez fort naturelle cette discipline tacite, cette servitude morale que personne n'ose transgresser ? Prenez garde !... Un jour toutes ces barrières invisibles tomberont et vous serez très surpris de constater qu'en une nuit il a poussé des dents de loup dans la bouche de tous ces moutons.

Lady Diana était subjuguée par l'éloquence de Varichkine. Elle l'écoutait avec une sorte d'admiration secrète, bien que les anticipations du Slave ne fussent rien moins que rassurantes. Elle l'écoutait avec cette volupté de la peur que les lamas inspirent aux Mongols, quand ils leur parlent de Bogdo Cheden, le Bouddha vivant d'Ourga.

— Monsieur Varichkine, lui dit-elle en hésitant, après ce que vous venez d'évoquer, je n'ose plus croire que vous daignerez vous intéresser à ma cause.

Les yeux noirs du bolchevik brillèrent. Sa voix fut plus suave que jamais :

— Je ne veux pas qu'une telle pensée vous effleure, chère Lady Diana... Vous savez bien qu'il y a des accommodements, même avec les contempteurs du ciel... Notre ami Séliman vous dira, d'ailleurs, que le bolchevisme est peut-être une peau d'ours un peu rude ; mais on l'ôte avant de pénétrer dans les salons.

— Vous me rassurez, monsieur Varichkine, soupira Lady Diana.

Je l'observais discrètement et je me demandais

115

si l'humilité charmante et plutôt craintive qu'elle manifestait devant notre commensal n'était pas jouée. Comme nous étions au dessert, je résolus, avant de les laisser en tête-à-tête, de parler un peu du Caucase.

— Ma chère amie, dis-je à Lady Diana, vous auriez tort de croire que monsieur Varichkine n'a pas à cœur de réaliser votre vœu. Il paraît que Moscou ne s'y oppose pas.

Le Russe sourit, énigmatique.

— S'il plaît à Lady Diana d'accomplir les formalités indispensables, nul doute qu'avant peu le pétrole de Telav ne centuple ses revenus.

Lady Diana affecta un air d'innocence charmante que Romney eût volontiers fixé sur la toile pour la postérité. Les sourcils levés, les yeux éclairés d'une candeur angélique, les mains jointes sur les perles de son sautoir, la Madone des Sleepings semblait presque sans défense. Elle jouait admirablement l'enfant gâtée d'une société bien policée qui respecte la quiétude des riches et écarte de leurs palais les grondements des affamés. Elle regarda Varichkine avec une coquetterie fascinante ; elle prit une paille emmaillotée de papier de soie, dans un gobelet de nickel, toucha avec cette paille la main velue du Slave et badina :

— À moins, cher monsieur Varichkine, que ce ne soit vous qui deviez accomplir les formalités indispensables.

Son interlocuteur fut visiblement déconcerté. Il ne savait si elle plaisantait ou si elle le narguait. Moi non plus d'ailleurs. Quoi qu'il en fût, je jugeai que ma présence n'était plus nécessaire et je demandai à Lady Diana la permission de me retirer.

∽

La soirée était belle. Les étoiles scintillaient au-dessus du quadrige de bronze de la porte de Brandebourg. J'allai fumer une cigarette du côté du Roland de Berlin et déambulai sous les ombrages de la Bellevuestrasse. Devant la gare de Potsdam, une femme qui rôdait m'invita à la suivre. Comme je demeurais sourd à sa séduction, elle tenta de m'aguicher en chuchotant qu'elle avait une jambe de bois et en heurtant le fermoir de son réticule contre sa cuisse qui rendit un son mat.

Les bulles éblouissantes des lampes à arc de la Leipzigerstrasse m'attirèrent. Je longeai les colonnes de granit de la cathédrale où monsieur Wertheim étale ses cotonnades et ses articles de ménage et achetai des allumettes à un ancien *Feldgrau* décoré de la croix de fer. Je m'aventurai dans le passage Panoptikum, où j'eus le loisir d'admirer derrière la devanture d'un maroquinier un grand portrait en couleur de la défunte impératrice, enrubanné aux couleurs prussiennes. À onze heures et demie, je rentrai à l'hôtel. En passant devant la porte de Lady Diana, j'entendis le bruit d'une conversation animée et j'aperçus au bout du couloir le maître d'hôtel qui, sentinelle discrète, surveillait son secteur. Pensant que Varichkine était bien protégé, je me retirai dans ma chambre, me couchai et m'endormis sur les dernières nouvelles du *Berliner Tageblatt*.

Je me réveillai vers une heure. Étonné de n'avoir point reçu la visite de Lady Diana, j'écoutai à la porte de communication. On parlait encore dans le salon. Je me rendormis.

Des coups tambourinés contre la même porte me tirèrent de mon sommeil. Il était trois heures du matin. Lady Diana entra et alluma mon lustre. Je clignotai des yeux comme un chat-huant vaporisé par la lumière d'un phare. Elle me regarda souriante, fît une révérence comique devant mon lit et me déclara :

— Prince, j'ai l'honneur de vous apprendre que monsieur Varichkine, délégué des Soviets à Berlin, vient de demander la main de Lady Diana Wynham.

Je me dressai sur mon séant. D'abord incrédule, je compris ce que voulait dire Lady Diana et répliquai vivement :

— Voyons, ma chère amie, pas de formules solennelles entre nous !... Ce que vous appelez votre main, c'est l'usage temporaire de votre anatomie, n'est-ce pas ?

— Mais non, Gérard, s'écria-t-elle gravement. J'appelle un chat, un chat, et Varichkine, mon futur mari.

J'étais tellement abasourdi que je sortis à demi de ma couche.

— Comment ?

— Allons, Gérard, n'allez pas attraper un rhume parce que je vous annonce mon prochain mariage... Là. Recouchez-vous et laissez-moi parler... Allons, mon petit Gérard, vous vous agitez sous vos draps comme un gardon dans une nasse... Qu'ai-je donc dit de si extraordinaire ?... Vous ne vous souvenez pas de ce que je vous ai déclaré quand vous m'avez prévenue que ce Russe désirait passer une nuit avec moi ? Je vous ai dit : c'est trop ou pas assez...

— Épouser Varichkine !... Mais vous êtes folle !

— Pourquoi, mon chéri ?... Croyez-vous donc que j'étais femme à me vendre comme une fille pour un bidon de pétrole ?... Gérard, vous m'offensez... Non, vous ne m'offensez pas, parce que vous êtes, au fond, un brave et cher garçon que j'aime bien. Aussi, pour vous faire plaisir, je vais vous dire ce qui s'est passé depuis que vous nous avez laissés seuls.

Lady Diana s'empara de mon poignet, que je couvais sous l'oreiller ; elle fit éclore mes cinq doigts dans le creux parfumé de ses mains fines et reprit :

— Ainsi que vous l'imaginez, Varichkine ne fut pas long à me proposer son marché... Je dois vous avouer qu'il ne le fit pas trop brutalement, d'ailleurs. Nous tournâmes autour du pot, si j'ose ainsi parler, et j'employai toute ma diplomatie à soumettre mon hôte alternativement à la douche glacée du refus et au jet brûlant de l'espoir. Cela dura plus d'une heure. La chartreuse et le brandy aviaient comme il sied la chaleur de notre discussion... Ah, Gérard ! Cet homme excelle peut-être à cuisiner un contre-révolutionnaire, mais il n'est pas de force devant une femme comme moi. Vers une heure du matin, il était désemparé... Le brochet fatigué ne réagissait plus au bout de sa ligne. Je lui donnai à entendre que sa proposition était en somme trop injurieuse pour que je la prisse en considération et, qu'après tout, je ne tenais pas plus que cela à exploiter mes terres de Telav... « — À moins que... » Il s'agrippa aussitôt à la bouée de sauvetage que je venais de lancer et répéta : « — A moins que ? — Que vous ne m'épousiez, mon cher monsieur Varichkine... » Ah ! Gérard, j'aurais voulu, à cette minute précise, vous faire voir la tête de mon interlocuteur... Je n'ai jamais observé une séquence de sentiments aussi complexes se reflétant sur le visage d'un homme. L'incrédulité, la satisfaction, l'inquiétude, la fierté, la convoitise déroulèrent leur kaléidoscope sur les traits de Varichkine. Quand il fut bien convaincu que je ne me moquais pas de lui, devinez ce qu'il fit... je vous le donne en mille !

— Je ne sais pas.

— Il tomba à genoux... oui, à genoux... Il se signa, marmotta une courte prière et se jeta sur mes mains qu'il couvrit de baisers... Vous savez, Gérard, que j'ai goûté l'amour sous toutes les latitudes et dans toutes les attitudes, que j'ai éprouvé au cours de mes pérégrinations sur les voies ferrées du Continent toutes les joies charnelles ou mentales qu'une femme peut connaître et que rien de ce qui est voluptueux ne m'est étranger... Pourtant je ne crois pas avoir jamais ressenti l'indéfinissable sensation que me procura la vue de ce bolchevik, ému au point de se souvenir des croyances de sa petite enfance, et de s'agenouiller pour manifester son bonheur... Un délégué des Soviets à mes pieds!... Gérard... C'est le plus beau fleuron de ma couronne!

Elle avait raison. Mais j'étais moins étonné de l'acte de Varichkine que de la brusque décision de Lady Diana. Je ne pus m'empêcher de lui exprimer de nouveau ma stupéfaction.

— Mais, ma chère amie, qu'est-ce qui a pu vous suggérer cette étonnante résolution? Avez-vous bien réfléchi?

— Oui.

— Écoutez-moi... Procédons avec ordre... Je présume d'abord que Varichkine ne vous déplaît pas.

— Non. Il ne me déplaît pas.

— Parlons du physique... Il n'est pas beau.

— Heureusement. Il a une tête étrange, ce qui vaut mieux... Gérard, mon mari était rasé... La plupart de mes amants étaient rasés aussi... La barbe noire de Varichkine est une nouveauté pour moi.

Je haussai les épaules:

— Vous ne me persuaderez pas que vous êtes prête à épouser ce Russe parce qu'il porte une barbe.

— Gérard, je vais vous ouvrir mon cœur et

mon cerveau. Varichkine, je l'avoue, me plaît. Sa conversation m'a prodigieusement intéressée. Sa façon de parler, son charme un peu bizarre mêlé de rudesse native, ses yeux qui sont très doux, même quand il badine avec la mort, tout cela m'attire et me séduit. Il vaut mieux qu'un caprice éphémère... Voilà pour le côté sentimental et strictement personnel... Voyons maintenant l'aspect pratique de la question... Qui vous dit que, son désir satisfait, il eût tenu parole? On oublie rapidement les conquêtes trop faciles... En exigeant le mariage, je le tiens doublement; non seulement parce qu'il est amoureux de moi, mais parce qu'il aura à cœur de n'être point à ma charge, en me faisant obtenir ma concession en Géorgie... Ce n'est pas tout... Il y a le Tout-Londres que je veux éberluer... Songez donc : la veuve de Lord Wynham épousant un notable bolchevique... Quelle pierre de taille dans la mare aux Vanités!... Vous savez combien je me moque des convenances et des préjugés de la *gentry* britannique... La seule pensée que toute la presse londonienne annoncera un de ces jours mon mariage avec le camarade Varichkine me remplit d'une joie sans bornes... J'entends déjà les rumeurs montant des salons de Mayfair et j'entrevois les mines scandalisées des membres du Bath Club... Moi qui adore éclabousser les momies, pourfendre les toiles d'araignée, interloquer les douairières et renverser les vieux fétiches, je frémis d'impatience et voudrais déjà présenter monsieur Varichkine, mon mari, aux duchesses épouvantées...

— C'est, évidemment, une opinion, et qui peut se défendre... Si, après votre danse sans voiles, vous avez envie de faire encore parler de vous, ma chère, je ne vois rien de mieux qu'un hyménée aussi inattendu... Mais souffrez que je refroidisse votre enthousiasme avec quelques objections...

— Allez, Gérard... Je vous vois déjà venir avec votre sale logique qui prend au lasso les chevaux sauvages de l'imagination.

— D'abord, s'agit-il d'un mariage légal? On a dit que l'amour libre régnait en Russie soviétique et que les femmes étant « biens nationaux », nul homme ne pouvait en posséder une à l'exclusivité des autres hommes.

— J'ai posé la même question à Varichkine. Il m'a dit qu'au commencement du bolchevisme, en effet, certains illuminés avaient émis des théories avancées. En réalité, le mariage existe toujours, mais les formalités sont réduites à l'extrême. Plus de bans, ni de certificats innombrables. Les fiancés apportent leurs passeports au commissariat. Un coup de tampon, quelques roubles, et vous voilà mari et femme. Quand je le voudrai, nous serons mariés officiellement à la délégation de Londres.

— Bien... Mais le jour où Varichkine aura épousé une aristocrate étrangère, ne sera-t-il pas honni par son parti et accusé de pactiser avec la contre-révolution?

— Deux éventualités sont possibles... Il pourra se justifier aux yeux de ses pairs en leur prouvant

123

qu'il a épousé une ci-devant, afin de se mieux renseigner sur l'opinion de leurs adversaires du Royaume-Uni... Vous savez que les augures soviétiques admettent fort bien que leurs délégués à l'étranger profitent des douceurs de la vie bourgeoise et hurlent avec les loups pour mieux connaître le diapason de leur hostilité... Si, au contraire, Moscou le reniait, il brûlerait ses idoles d'hier, et, par amour pour moi, consentirait à un exil fort acceptable.

— Et la concession de Telav ? Ne serait-elle point compromise ?

— Nous avons discuté ce problème également. Il a été convenu entre nous que le mariage n'aurait lieu qu'après l'octroi officiel de la concession et la constitution de la société anglo-américaine chargée de l'exploiter. Croyez-vous qu'ensuite Moscou s'exposerait à des complications diplomatiques avec l'Angleterre et les États-Unis dans le seul dessein de nuire à un camarade renégat ?

— Varichkine devra donc attendre cette échéance pour pouvoir vous prendre dans ses bras ?

— C'est vous dire qu'il emploiera tout son zèle à abréger ce délai.

— Il est très épris de vous ? Sincèrement épris ?

— Ne m'en offre-t-il pas les meilleures preuves ?

Lady Diana avait fait tomber toutes mes objections. Il ne lui restait plus qu'à tourner la plus importante.

— Et madame Mouravieff ? lui dis-je enfin.

Elle hésita :

— Varichkine m'a, en effet, parlé d'Irina Mouravieff. Il a été très net... Il m'a fait entrevoir que nous nous exposions à une inimitié terrible. Il m'a demandé si j'étais assez courageuse pour braver Irina. J'ai répliqué : « Oui, et vous ? » Il m'a avertie que je ne devais pas faire bon marché de la vindicte de cette femme et qu'il ne voulait pas que, plus tard, je puisse lui reprocher de m'être laissée jeter dans une dangereuse aventure. J'ai accepté le risque. Alors, il m'a suppliée de sceller solennellement ce pacte par un baiser. Nous nous sommes levés. Il m'a prise entre ses bras, m'a rejeté la tête en arrière et m'a contemplée longuement, les yeux mi-clos ; il a murmuré quelques mots en russe, qui résonnèrent très doucement à mes oreilles, m'a serrée très fort contre lui et m'a donné un de ces baisers qui comptent dans la vie d'une vénusienne. Voilà, Gérard, le point final de ce prologue, gros de conséquences... Mais vous êtes fatigué ; moi aussi... Vous allez m'aider à enlever cette robe dont la fermeture est si mal placée, car il est trop tard pour que je réveille Juliette, et je vous laisserai dormir.

Elle leva son bras gauche pour que je découvrisse, dans les plis du brocart, un nid de boutons-pression et, avec la plus franche impudeur, laissa tomber sa robe. Elle pressa doucement ses seins nus entre ses mains baguées d'émeraudes, me regarda avec une tendresse réelle et me dit d'une voix bizarre :

— Gérard... Ça ne vous fait pas de peine ? Vous ne serez pas jaloux de ce mariage ?

— Si, Diana... Car le jour où ce Russe aura trouvé une épouse, j'aurai perdu une amie.

Lady Diana ferma les yeux. Ses mains se crispèrent davantage sur la chair satinée de ses seins. Deux boutons de rose germèrent à l'ombre verte des émeraudes. Elle frissonna dans le fond de jupe qui moulait en mauve la courbe jolie de ses hanches, entrouvrit les paupières et me scruta, silencieusement, derrière la trame ténue de ses longs cils. Les ondes, issues de nos deux corps, se cherchèrent dans l'espace. Nos désirs inavoués jouèrent à cache-cache dans le dédale de l'Indécision. J'eus peur du geste précis, annonciateur d'une volonté qui va s'affirmer. Alors, elle se leva brusquement, prit sa robe au bout du lit et dirigea ses pas vers la porte de communication. J'allais l'appeler quand elle se retourna pour me lancer, ironique :

— Dites, mon cher... Je compte sur vous pour être témoin à mon mariage.

7

Je venais de prendre mon huitième *breakfast* depuis huit jours que j'habitais ma chambre de l'hôtel Adlon. Varichkine nous avait prévenus, la veille, que la signature serait apposée au bas de l'acte de concession dans les quarante-huit heures. Nous étions tous impatients. Lady Diana s'ennuyait à Berlin. Je commençais à trouver le temps long et Varichkine ne celait pas son ardent désir d'accélérer la marche des événements.

À dix heures, le garçon d'étage m'apporta un message urgent. L'écriture fine et serrée me donna de l'inquiétude : « Monsieur, je vous attendrai cet après-midi, à trois heures, Belle-Alliance Platz, n° 44, au deuxième, à gauche. Je désire avoir une conversation privée avec vous. Dans votre intérêt, n'en parlez à personne. Salut et Fraternité. Irina Mouravieff. »

Toute la matinée je me livrai au jeu de construction des hypothèses. Devais-je prétexter un empêchement ? Valait-il mieux ajourner ce rendez-vous ? Fallait-il affecter d'ignorer madame Mouravieff ? Était-il prudent de prévenir Varichkine, malgré sa défense ? Je conclus que le mieux était d'accepter le tête-à-tête et de ne point donner à penser à cette femme que j'avais peur.

Au 44 de la Belle-Alliance Platz, je trouvai une maison bourgeoise boursouflée de bow-windows de brique peinte, comme on en voit des milliers à Berlin. Au premier étage, je lus à gauche, sur une plaque d'émail blanc : « Dr Otto Kupfer-Zahnartz », et à droite, sur une autre plaque : « Dr Jr. Spuckenheim-Rechtsan-walt ». J'en conclus qu'un immeuble qui abritait un dentiste et un avocat n'avait rien de mystérieux et je gravis le deuxième étage. À droite, une plaque de cuivre portait ces mots gravés : « Fraulein Erna Dickerhoff-Gesangunterricht ». Vraiment, madame Mouravieff s'entourait de voisins pacifiques et les leçons de chant de mademoiselle Dickerhoff n'étaient point faites pour effaroucher les visiteurs inquiets.

Je sonnai à la porte de gauche. Un homme mal rasé et vêtu d'un veston sale m'accueillit avec un accent slave prononcé, en me scrutant sous d'épais sourcils noirs. Je ne lui eus certainement pas confié mon carnet de chèques.

— J'ai rendez-vous à trois heures avec madame Mouravieff, lui dis-je poliment.

Il rectifia :

— Vous avez rendez-vous avec la camarade Mouravieff ?

Je mis à profit sa leçon de savoir-vivre et répondis :

— Oui, camarade.

Il m'examina, du bout de mes souliers vernis jusqu'à la perle de ma cravate et marmotta :

— Je ne suis pas votre camarade.

Je le priai de m'excuser. Mais il avait déjà disparu derrière la porte. J'eus le loisir d'examiner le décor. Cette vaste antichambre était meublée de quelques chaises dépareillées et d'une table chargée de revues russes et de gazettes allemandes. On entendait un bruit de mitrailleuse d'enfant au fond d'une pièce. Une dactylographe au travail, sans doute.

— Par ici, fit tout à coup l'homme chatouilleux sur l'étiquette de la camaraderie.

Je le suivis. Je me trouvai en présence de madame Mouravieff. Son bureau particulier était dépourvu de tout luxe. Une grande table de chêne parsemée de papiers. Un fauteuil usé, pour les visiteurs. Une bibliothèque en bois blanc, pleine de brochures sévères. Et c'était tout.

Madame Mouravieff se tenait debout devant la cheminée. Elle portait le même petit tailleur gris. Mais, tête nue. Ses cheveux courts, épais, mettaient un rouleau noir sur la pâleur de son front et ses prunelles bleues m'examinaient sans hostilité ni bienveillance... Je m'imaginais être un lépidoptère soumis à la curiosité d'une entomologiste.

Je m'inclinai. Un signe de la tête me répondit. Je crus bon de mettre la conversation sur le mode léger et, comme la Russe parlait admirablement le français, j'ouvris les hostilités dans cette langue :

— Vous m'avez convoqué, madame... Je suis accouru. La Russie n'a plus de temps à perdre.

Ma gaîté fit long feu. J'ignorais encore qu'on ne badine pas avec les Walkyries de Moscou. Madame Mouravieff fit deux pas en avant, les mains dans les poches de sa petite veste et me considéra de plus près. Je me sentis plus lépidoptère que jamais. J'eus l'impression qu'elle allait me chatouiller les oreilles avec le bout d'un porte-plume pour voir si je réagissais. À la fin, un peu excédé d'être étudié en silence par cette étrange petite dame, je remarquai :

— Oui, madame... Je respire par les poumons, comme les mammifères, et je me rase chaque matin, comme les civilisés. Voulez-vous d'autres détails ?

Madame Mouravieff tira un étui à cigarettes de sa poche, m'en offrit une, me donna du feu et me fit signe de m'asseoir dans le fauteuil usé. Mais, comme elle demeurait debout, je déclinai son invitation en souriant :

— Non, madame, je ne m'assiérai que si vous m'en donnez l'exemple.

— Pourquoi ?

— Parce que si vous restez debout, cela signifiera que vous êtes pressée de m'expédier et ce ne sera pas poli, tandis que si c'est moi qui demeure debout pendant que vous serez assise, cela voudra dire que je comparais devant vous comme un inculpé.

Madame Mouravieff haussa légèrement les épaules et s'assit enfin. Je l'imitai. Elle jeta la cendre de sa cigarette dans une sébile de cuivre, me regarda de nouveau et dit :

— Je me demande si vous êtes un honnête homme.

— Cela dépend du sens que vous donnez à ce qualificatif... Est-ce le sens du XVIIIᵉ siècle ? Est-ce celui du XXᵉ ? Jusqu'à présent, je n'ai rien volé et j'ai tenu ma parole.

— J'ai réfléchi à votre cas, prince Séliman...

— C'est beaucoup d'honneur que vous m'avez fait, étant donné la gravité de vos occupations.

— Et je me suis dit que vous exerciez une singulière profession, pour un honnête homme.

— Laquelle ?

— Secrétaire d'une jolie femme.

— Est-elle incompatible avec l'honnêteté ?...

— En général... Parce qu'elle manque de netteté... Parlons franc : êtes-vous payé pour rédiger les lettres de Lady Wynham ou pour dormir dans son lit ?

— Ni l'un ni l'autre. Je ne suis pas payé et je ne suis pas son amant.

Madame Mouravieff eut une moue de surprise. Elle écrasa le bout de sa cigarette contre le fond de la sébile et remarqua :

— Secrétaire pour la gloire ?

— Dites plutôt : ami par inclination... Mais voulez-vous me permettre une simple question, madame ? M'avez-vous invité à venir vous voir dans le seul dessein de m'exposer vos considérations sur la valeur morale des professions ?

— Non. Je vous ai mandé parce que j'aime

bien connaître les adversaires avec lesquels je suis appelée à combattre.

Je jouai l'étonnement et protestai :

— Moi ? Un adversaire ?

— Pas de comédie, je vous prie. Vous savez fort bien qu'une barricade nous sépare.

— Politique, peut-être ?

— Non. Sentimentale. S'il ne s'agissait que d'une concession à accorder à un consortium anglo-américain, nous serions déjà d'accord. Mais il y a deux bas de soie dans ce conseil d'administration. Et c'est cela qui a incité Varichkine à s'entremettre avec tant de zèle. Alors que dix autres demandes dorment dans les cartons de la délégation, celle de Lady Wynham est déjà signée.

— Déjà signée ?

— Elle paraîtra dans les annonces légales des *Izvestia* d'aujourd'hui.

— Je vous remercie au nom de Lady Wynham, madame.

Madame Mouravieff m'interrompit d'un geste impatient :

— Je vous tiens quitte de vos salamalecs... Dites-moi plutôt sous quelle forme Lady Wynham entend remercier Varichkine de ses bons offices.

— Je n'en ai pas la moindre idée.

— C'est donc moi qui me chargerai d'éclairer votre lanterne. Prince, écoutez-moi bien... Si par hasard vous l'ignoriez encore, sachez que Varichkine est mon amant depuis huit ans. La situation qu'il occupe en Russie, c'est à moi qu'il la doit. Sans moi, il serait encore menchevik, c'est-à-dire mort ou emprisonné. Tout cela, je l'ai fait par amour. Quand nous nous sommes connus, au commencement de la guerre, il venait d'être évacué du front de Galicie. Désemparé, sans un kopeck, je lui ai donné l'hospitalité dans mon petit logement d'étudiante, à Petrograd. Nous avons vécu pauvrement, cœur à cœur, tandis que les premiers grondements de la révolution proche se faisaient écho de la Baltique à la mer Noire. Avec la fièvre de l'impatience, nous écoutions les craquements de l'édifice qui allait s'écrouler... Les rumeurs sinistres colportées dans la capitale nous apportaient l'espoir de temps nouveaux. Les hautes trahisons des ministres, l'audace des spéculateurs, la lassitude des déserteurs, la lâcheté d'un tsar acéphale, les ignominies d'une tsarine hypnotisée par le sceptre d'un moine monstrueux, tout cela nous réjouissait secrètement, parce que sur cette pourriture, sur le fumier de l'Ancien Régime, la belle fleur écarlate de la révolution allait s'épanouir plus vite... J'aime Varichkine, prince. Et je le lui ai prouvé, depuis qu'octobre 1917 a changé la Russie. Nous ne sommes pas mariés, parce que je crois à l'union libre, parce que je répudie les petites chaînes ridicules que vous forgez en Occident, et parce que j'estime que votre mariage est une comédie dont la laideur ne le dispute qu'au burlesque. Mais je me considère unie à Varichkine, sinon devant le Ciel, du moins devant ma conscience. Je n'ai pas besoin de lui avoir juré fidélité devant Dieu pour lui être fidèle... Car je vous dirai, comme notre grand poète Maïakovski, qu'en voyageant à travers les nuages, j'ai appris à cracher sur Dieu...

Tandis que madame Mouravieff s'interrompait pour écraser le bout de sa troisième cigarette dans la sébile, je considérais avec le plus vif intérêt cette petite Russe, plutôt belle que laide, qui, à son âge, crachait déjà sur l'Éternel.

— Je vous ai fait ces révélations intimes, prince, reprit-elle, parce que je voudrais que vous eussiez la notion exacte de votre responsabilité, dans le cas où Lady Wynham se prêterait aux exigences de Varichkine... Je vous en prie, ne protestez pas... Je sais les points faibles de mon amant. Il est sensible aux séductions des femmes bien nées. C'est là une de ses tares... Nous avons quelques commissaires à Moscou qui, eux, pratiquent secrètement l'amour immodéré des capitaux... Varichkine est moins sensible à l'attraction de l'or qu'à l'attirance d'une aristocrate habillée par les couturiers de votre rue de la Paix. Depuis un an et demi qu'il est à Berlin, il a déjà failli me tromper avec la princesse Anna de Mecklembourg-Stratzberg. Une Allemande très parisianisée, qui a appris, entre Nice et Cannes, à porter des linons tentateurs... J'ai brisé cette idylle dans l'œuf... J'ai puni la princesse Anna d'un coup de cravache sur la figure, dans le hall du château de Drückheim... Varichkine n'a pas pipé... Mais je ne suis pas sûre

134

qu'il n'ait point conçu quelque penchant pour votre patronne.

Comme j'allais parler, elle m'arrêta, autoritaire :

— Hé, quoi ? Le mot vous choque ?... Vous êtes pourtant l'employé bénévole de cette femme égoïste, n'est-il pas vrai ?... En tout cas, prince, il faut que vous sachiez que Lady Wynham, pas plus que la princesse de Mecklembourg-Stratzberg, ne me ravira Varichkine... Si pareille chose arrivait, apprenez donc que vous seriez trois coupables sur lesquels ma vengeance pèserait également... Elle, lui et vous.

— Nous serions quatre, madame. Un homme averti en vaut deux.

Elle frappa le parquet de son pied et s'écria :

— Pas de plaisanteries stupides, prince... Vous auriez tort de prendre légèrement mon avertissement.

— Mais, chère madame Mouravieff, pourquoi voulez-vous que votre amant s'amourache de Lady Wynham ? Je ne suppose pas que c'est la première fois de sa vie qu'il approche d'une femme bien née ?

— Je sais ce que j'avance, prince... Même s'il était capable de résister à la tentation, je me méfierais de ces belles Anglaises voyageuses, de ces oiseaux de sleeping-cars qui traînent leur spleen entre un pékinois et un amant de poche toujours sous pression... Je les connais, ces affranchies du Gotha, dont l'âme est sertie de gemmes rares par monsieur Cartier et le corps

135

entrouvert à toutes les voluptés... Elles mangeraient du snobisme dans la paume d'un lépreux et sacrifieraient leur salut pour ébouriffer la galerie. Leur égoïsme monstrueux pousse comme un goitre à la place de leur cœur atrophié. Leur épicurisme les grise. Elles sont au-dessus des conventions. Elles narguent votre morale bourgeoise. Elles écartent d'une chiquenaude les préjugés et lèvent leur jupe au visage de la Vertu déconcertée...

— Madame, vous exprimez là des pensées amères et d'ailleurs non dépourvues de vérité, mais n'allez pas en déduire que...

— Que votre Lady Wynham ne pourrait pas s'amuser à me prendre mon amant ?... Taisez-vous donc ! Nous autres femmes, nous nous connaissons mieux que tous les psychologues réunis en conclave devant un in-octavo ouvert... Elle ne serait pas la première pintade de la haute qui trouverait piquant de tâter du bolchevik, d'attirer sous son drap ces buveurs de sang dont le monde bourgeois a fait ses épouvantails... Pour une femme comme elle, Varichkine vaudrait toutes les drogues et toutes les petites distractions baudelairiennes... Cocaïne, morphine, opium ?... Peuh ! Qu'est-ce que tout cela à côté d'un camarade de la Russie rouge qu'on exhiberait à son bras dans les volières de Park Lane ou de la plaine Monceau ?...

— L'attitude de Varichkine à votre égard vous suggérerait-elle déjà de telles appréhensions ?

— Peu vous importe, prince. Qu'il vous suffise

de savoir que je vous parle à bon escient... Je voulais vous prévenir avant qu'il fût trop tard. Tirez profit de notre petit entretien et hâtez-vous de commander machine arrière à qui de droit.

Madame Mouravieff s'était tue. Son regard bleu sous l'ourlet sombre des sourcils froncés n'était rien moins que rassurant. Je jugeai le sermon terminé et me levai. Un détail, pourtant, m'intriguait. L'égérie de Varichkine m'avait-elle ainsi parlé parce qu'elle était au courant du projet matrimonial de son amant ? Ou bien ne se doutait-elle de rien et n'avait-elle voulu parer qu'un danger hypothétique ? Je tentai d'éclaircir ce point :

— Madame, fis-je en m'inclinant, je vous remercie de m'avoir tenu un langage aussi menaçant que dépourvu d'équivoque... Mais avant de vous quitter vous me permettrez de m'étonner que vous ne soyez pas mieux renseignée sur un thème qui vous touche de si près et dont la démonstration a pour théâtre le deuxième étage de l'hôtel Adlon.

Mes paroles aiguisèrent sa curiosité. Elle répliqua vivement :

— Pourquoi mieux renseignée ?

— Mon Dieu, madame Mouravieff, quand on fait mettre des microphones chez quelqu'un, ses conversations privées ne sont pas perdues pour tout le monde.

Madame Mouravieff parut embarrassée. Mais elle se ressaisit aussitôt et fit, évasive :

— Je ne sais pas ce que vous voulez dire.

— Alors, fis-je en souriant, le petit appareil que j'ai découvert sous mon lit avait-il germé spontanément comme un champignon dans la mousse?... Il est, en tout cas, fort heureux que je m'en sois aperçu, car je vois qu'à Berlin les morilles ont des oreilles.

Ma remarque sembla déplaire beaucoup à madame Mouravieff qui s'écria avec impatience :

— Et quand cela eût été? À la guerre, toutes les armes sont permises.

— Comment! La guerre est donc déjà déclarée? Je croyais que nous n'en étions encore qu'au *Kriegsgefahrzustand,* comme on dit ici?

— Prenez garde, monsieur, que votre ironie ne vous coûte cher un jour.

L'éclat des prunelles de madame Mouravieff souligna son avertissement. Je gagnai la porte. Sur le seuil, je me retournai et demandai :

— Puis-je vous baiser la main, madame?

— Non... je vous prie de vous abstenir.

Devant ce refus définitif, je sortis. Dans l'antichambre, l'homme mal rasé, au veston sale, me dévisagea, comme un chien de garde soupçonneux regarde passer un chemineau. Bientôt, j'eus franchi la Belle-Alliance Platz et je méditai sous les platanes de la Kœniggraetzerstrasse. J'ignorais toujours jusqu'à quel point la maîtresse de Varichkine était édifiée sur les intentions de son amant. Mais je n'avais plus le droit de concevoir la moindre illusion sur les desseins de madame Mouravieff. Si j'avais consulté ce jour-là une cartomancienne et si elle ne m'avait pas déclaré qu'« une femme brune me voulait du mal », j'eusse été fondé à lui refuser le paiement de ses oracles fallacieux.

∽

Le soir même, Lady Diana, Varichkine et moi nous dînions dans un petit restaurant de Schlach-tensee. Nous étions presque seuls sur la terrasse ombragée de sapins, devant la marmelade d'oranges d'un lac tranquille qui reflétait entre mille aiguilles vertes les dernières lueurs du couchant. Le chauffeur de Lady Diana, sur le conseil de Varichkine, avait traversé Wilmersdorf en zig-zag pour dépister des curieux éventuels. La joie régnait dans l'âme de mes commensaux, car ils avaient appris la bonne nouvelle de Moscou.

En plongeant ma cuiller dans le vermicelle d'un potage blond cendré, je déclarai sans emphase :

— Mes chers amis, j'ai eu cet après-midi une conversation qui vous intéresse, avec quelqu'un qui vous connaît tous les deux.

— Un homme ou une femme ?

— Une femme.

Lady Diana me fit signe de me taire. Elle s'écria en riant :

— Ne dites pas le nom, Gérard... Tâchons de deviner... Varichkine, posez la première question...

— C'est une blonde ?

— Non.

— Une brune ?

— Oui. Lady Diana, ne cherchez pas. Vous ne devineriez pas. C'est madame Mouravieff.

J'obtins un indiscutable succès de surprise. Varichkine murmura, inquiet :

— Vous avez rencontré Irina ?

— Non, mon cher. Je l'ai vue au bureau de la Belle-Alliance Platz.

— Qu'alliez-vous faire là-bas ?

— Je m'y rendais à son invitation. J'ajouterai que je n'y retournerai point. Les meilleures plaisanteries ne se renouvellent pas.

Lady Diana n'était pas moins intriguée que Varichkine. Elle demanda :

— Mais que désirait-elle ?

— Me donner un sérieux avertissement... Aussi m'empressé-je de vous le transmettre. Mes chers amis, quand vous vous marierez, mettez beaucoup de distance entre vous et madame Mouravieff. Quant à moi, si vous n'y voyez pas d'inconvénient, je m'embarquerai ce jour-là pour Madère ou les îles Sandwich.

Varichkine me saisit le poignet.

— Ne plaisantez pas, mon cher... Dites-nous la vérité.

— La voici toute nue, Varichkine... Je peux la révéler devant Lady Diana qui n'ignore pas votre liaison et qui adore le danger... Madame Mouravieff se vengera sur nous si vous l'abandonnez.

Lady Diana ce soir-là s'était habillée très simplement : une petite robe de velours de laine vieux rouge ; une seule bague et un béret noir de joueuse de hockey. On eût dit une étudiante en rupture d'université. Le télégramme de Moscou n'avait d'ailleurs pas peu contribué à égayer son humeur et à lui faire anticiper la complète réussite de son plan. Quoiqu'il me déplût de jeter une ombre sur sa félicité, je n'avais pas le droit de lui laisser ignorer – pas plus qu'à son prétendant – les avertissements de madame Mouravieff.

Je dois reconnaître d'ailleurs que Varichkine en l'occurrence eut une conduite vraiment chevaleresque. Comme ma déclaration avait mis une sourdine à la gaîté de sa voisine, il prit la main de Lady Diana et gravement lui dit :

— Lady Diana, devant les précisions que nous apporte notre ami, je n'hésite pas une minute à vous offrir de vous délier de votre engagement, si vous préférez ne pas tenter l'aventure, je vous rendrai votre parole, quoi qu'il puisse m'en coûter. Je ne voudrais pas vous exposer à la vengeance d'une femelle telle qu'Irina.

Je vis que Lady Diana était touchée par le beau geste de son adorateur. Elle posa sa petite main sur celle de Varichkine et répondit :

— Varichkine, je vous sais un gré infini de votre générosité, mais c'est moi qui rougirais de vous fuir parce qu'une rivale nous menace. Je vous prouverai, au contraire, qu'une *gentlewoman* britannique n'a jamais peur. Si quelque danger surgit, vous me trouverez à votre côté.

Une lueur de satisfaction brilla dans le regard de Varichkine. Il baisa passionnément le poignet de Lady Diana et se tournant vers moi, il s'excusa :

— Ami, vous pardonnez ces manifestations sentimentales devant vous ? Mais la réponse de Lady Diana m'a causé une telle joie que je n'ai pas pu, n'est-ce pas... Ah !... c'est si bon d'aimer.

J'observais avec curiosité cet extrémiste maté par Cupidon. J'évoquais Denys, tyran de Syracuse, asservi sous le joug d'une belle d'Agrigente ; Gengis Khan effeuillant une marguerite aux pieds d'une Mongole parée de peaux de bêtes ; Marat avant l'heure du bain, jouant de la viole sous le balcon de Charlotte Corday... Il y a vraiment dans l'âme de certains fauves révolutionnaires des sentiments enrubannés et sous leur manteau de pourpre, le casque champêtre des pâtres de Berquin.

— Mon cher, lui dis-je, puisque nous sommes tous les trois unis pour faire triompher cette conspiration amoureuse, vous ne jugerez pas indiscret que je vous pose une question... Avez-vous déjà laissé entendre à madame Mouravieff que les jours de votre liaison sont comptés ?

— Vous plaisantez ! Je me suis bien gardé de l'alarmer trop tôt. Le jour où Lady Diana et moi nous franchirons le Rubicon, je préviendrai Irina et, comme un bourgeois correct, je verserai à son compte dans une banque de Genève ou de Zurich l'indemnité qu'il convient.

— Je crois qu'elle vous aime encore et que votre cadeau ne l'apaisera pas.

— Alors, tant pis... Il y a des amours qui, à la

longue, pèsent trop lourd au cœur des humains, surtout quand il s'y mêle de la reconnaissance. C'est un poids mort qu'ils traînent avec peine. On n'a jamais vu un obligé le porter allègrement. Je vous parle en ce moment avec la franchise la plus brutale... J'ai beaucoup aimé Irina... Mais je lui en veux de lui devoir tant. Les amants sur la terre ont mille et une raisons de se haïr. Quand Éros trempe ses flèches dans la gratitude de l'un d'eux, le poison, lent, fait son œuvre... Et celui qui, le sentant dans ses veines, contemple le flambeau de sa passion, a bien envie de crier comme Macbeth : « *Out ! Brief candle !...* » L'amour n'est pas un grand livre où le « doit » de l'homme peut l'emporter sur l'« avoir » de la femme... Sinon, gare au bilan !

Ces pensées d'un bolchevik, sur un sujet qu'immortalisa le duc de La Rochefoucauld, n'étaient pas totalement inanes.

— Varichkine, lui dis-je en riant, vous vous exprimez comme un garde blanc qui a lu Schopenhauer pendant ses heures de faction à l'état-major de Wrangel.

— Parce que nous sommes tous réactionnaires sur ce sujet, mon cher. On peut nationaliser les mines et les champs de seigle. Mais l'amour ? Il est cuirassé contre les balles dum-dum des innovateurs... Il est immunisé contre les sérums des pacifistes... Quand la paix régnera sur la terre, – puissions-nous ne jamais voir ce stade ultime de la paralysie générale chez les civilisés ! – la guerre se sera réfugiée dans le cœur des amoureux.

Lady Diana s'insurgea contre cette prédiction :

— Non ! Non !... Les amants ne se font pas la guerre... Parlez plutôt de petites manœuvres, de petits ouvrages de génie.

— Vous prononcez mal, Lady Diana, dites qu'ils ont le génie des petits outrages.

Varichkine caressa sa barbe de son geste familier.

— Ne l'écoutez pas, Lady Diana. Les Français ne sont jamais sérieux. Ils jonglent avec les principes, escamotent les difficultés et dansent depuis dix siècles sur la corde raide de la virtuosité... Une singulière nation, ma foi... Sympathique, mais un peu agaçante... Comme ces vieilles filles pédantes qui ont trop retenu... Elle couve les œufs pas frais de la tradition sous sa robe et tient sa maison en ordre... Quand les Idées modernes entrent dans son salon, elle les tolère en passant, parce qu'elle n'ose pas renier ses errements de jeunesse et ses folies du temps où, jouvencelle débridée, elle gambadait devant le pont-levis de la Bastille... Mais, maintenant, dès que l'Esprit nouveau a quitté sa maison, elle prend un balai et un chiffon pour essuyer les traces que ce visiteur aux pieds sales a laissées sur son tapis... Mais oui, mon cher, c'est ça la France d'aujourd'hui... Marianne a des bigoudis, des mitaines et un moine pour réchauffer son pied droit. C'est une coquette repentie qui se faisait trousser gaillardement par les sans-culottes

et qui maintenant porte des dessous très bourgeois... Si vous la voyez de temps en temps se
mettre un peu de rouge sur les joues, ne vous y
trompez pas... C'est un vieux reste de coquetterie
qu'elle va expier le lendemain sur l'autel de la
Démocratie.

Les fumées légères d'un excellent cru de
Moselle avaient chassé les préoccupations du
cerveau de Lady Diana. Elle se tourna vers
Varichkine et approuva :

— Pas mal ce que vous dites de la France, mon
très cher... Parlez-moi un peu de mon pays...
Qu'en pense-t-on là-bas à Moscou ?

— L'Angleterre ? Une prude confite dans un
bocal de pétrole.

Lady Diana hocha la tête en mordillant le
bout de son fume-cigarette d'ambre, cerné de
saphirs :

— Oh ! vous n'êtes pas très gentil pour mes
compatriotes !

— Attendez-vous de moi de vaines formules
de politesse, Lady Diana ? Non ?... Alors vous
savez bien qu'individuellement les Anglais sont
fort estimables et souvent généreux, tandis que
réunis pour former un peuple, ils deviennent
insupportables. Si Britannia n'exportait que des
girls charmantes et du bacon, le monde entier
lui garderait la reconnaissance du ventre et du...
reste ; mais elle souffre d'une hypertrophie du
moi ; elle souffre du cancer de l'égoïsme qui la
ronge peu à peu ; tant pis pour elle si un jour elle
en meurt étouffée...

145

Varichkine esquissa un geste familier et il conclut galamment :

— Pardonnez-moi ces opinions pessimistes et dont la valeur est purement spéculative. Britannia a maintenant pour moi toutes les séductions d'une princesse des *Mille et Une Nuits*, puisque c'est vous qui la personnifiez.

Lady Diana eut un radieux sourire. Son petit soulier voyagea sous la table. Et comme il pressait le mien par erreur, je le poussai doucement vers la chaussure de Varichkine en murmurant :

— Un peu plus à gauche, chère amie...

❧

Le Poméranien tondu qui nous servait en veste blanche avec un numéro en guise de décoration, venait d'apporter le café, quand le chauffeur de Lady Diana parut sur la terrasse.

— Votre chauffeur vous cherche... dis-je à mi-voix. Que veut-il ?

Lady Diana lui fit signe d'approcher. Il se courba derrière la chaise :

— Milady... je viens d'être abordé par un homme qui m'a demandé si monsieur Varichkine était dans le restaurant... Je lui ai répondu que je ne savais pas.

Lady Diana, inquiète, se tourna vers Varichkine qui demanda au chauffeur :

— Un grand blond, avec un feutre gris ?

— Justement, monsieur.

— Alors, allez vite lui dire que je suis là et qu'il vienne.

Le chauffeur salua et disparut. Lady Diana et moi, nous ne comprenions pas. Varichkine nous expliqua brièvement :

— N'ayez pas peur... C'est Tarass, mon domestique... Un Ukrainien que j'ai sauvé de la mort en 1919. Il m'est absolument dévoué... Je le tiens au courant de mes déplacements afin qu'il puisse me prévenir s'il y a lieu... S'il est venu jusqu'à Schlachtensee, ce soir, cela signifie qu'il a quelque chose d'important à me communiquer.

L'Ukrainien entra dans le restaurant. Un grand gaillard, pâle et blond. Une silhouette de bois blanc couronnée d'étoupe avec les stalactites jaunes d'une longue moustache tombante. Il parla en russe à l'oreille de Varichkine et lui remit une enveloppe. Varichkine la déchira, lut le bref passage et eut un haut-le-corps de surprise. Il congédia l'Ukrainien d'un geste et nous déclara :

— Ce soir, à huit heures, madame Mouravieff est venue à mon domicile. Elle a trouvé Tarass qui, fidèle à la consigne donnée, a prétendu ignorer où je dînais. Irina a écrit alors ces lignes et a prié Tarass de me les remettre dès que je rentrerais... Je vous traduis son billet : « Chéri, Borokine me télégraphie que ma présence est indispensable au Congrès de l'enseignement qui s'ouvre demain à Moscou. Je prends le train de 9 h 20 et regrette de ne pouvoir te dire adieu. Je rentrerai sans doute dans deux semaines. Ne m'oublie pas, chéri. Ta très aimante, Irina. »

Varichkine posa le billet sur la nappe. Bien qu'il fût écrit en russe, je reconnaissais l'écriture fine et serrée de madame Mouravieff. Lady Diana l'interrogea du regard. Il ne répondit rien. Il dessina des huit avec sa petite cuiller, dans son café. Comme son silence semblait impatienter Lady Diana, je remarquai :

— Ma foi, je ne vois là rien d'extraordinaire... Et vous ?

Varichkine arrêta la giration de sa petite cuiller, et répliqua :

— Je n'y verrais rien d'extraordinaire non plus s'il y avait bien un congrès de l'enseignement à Moscou... Mais c'est la première nouvelle. Et vous admettrez que j'en aurais eu vent, si cela était...

La réponse de Varichkine me donna à penser.

— Alors, c'est un faux prétexte qu'elle invoque pour aller à Moscou ?

— Il me semble.

Lady Diana regarda curieusement les lignes qu'elle ne comprenait pas et constata :

— Elle vous appelle « mon chéri »... Ce n'est pas la lettre d'une maîtresse outragée, ni même soupçonneuse...

Varichkine plia le message dans son gousset :

— Ne vous y fiez pas... Ce départ subit, le jour même où nous avons appris la signature du décret vous concernant, n'est pas une simple coïncidence... Irina ne m'a jamais parlé de ce voyage... Je l'ai vue hier... Rien dans son attitude ne m'a fait soupçonner ce brusque désir de retourner en Russie.

— C'est donc un sujet d'inquiétude de plus ?

— Pas en ce qui concerne l'affaire de Telav. Le délégué de Londres a été avisé officiellement et le Foreign Office aussi. Par conséquent, il me semble matériellement impossible qu'Irina – si tel était son but – pût réussir à faire annuler le décret.

— Vous voulez dire que le champ de la vengeance personnelle lui reste ouvert ?

— Oui.

— Il faudrait donc qu'elle fût exactement renseignée sur vos intentions et qu'elle dissimulât son jeu...

Varichkine caressa sa barbe et regarda Lady Diana en souriant :

— Serait-elle donc la première femme capable de porter un masque pour mieux nous tromper ?

Lady Diana se tut, songeuse. Varichkine, impassible, huma avec circonspection son café trop chaud. Je chauffai entre mes doigts mon petit verre rempli d'eau-de-vie de Dantzig et récitai mentalement le texte sibyllin de la lettre. Sur le lac tranquille, une barque passa avec un lampion vert qui moirait l'eau noire de reflets onduleux. À l'arrière, un homme et une femme s'étreignaient sous le dôme de la nuit complice. Un clapotis d'aviron monta dans le silence et une voix mourante lui répondit :

— *Ach !*... Egon, veux-tu finir ?

Le lendemain matin, tandis que je badigeonnais de mousse de savon l'hémisphère austral de mon visage rugueux, Lady Diana m'appela à travers la porte :

— Gérard... Êtes-vous visible ?..

— Oui... Mais point encore rasé !

— Cela ne fait rien... Ouvrez...

Elle entra et me tendit ce télégramme à elle adressé :

« Suis arrivé Nikolaïa muni pleins pouvoirs conseil d'administration pour traiter détails avec autorités locales. Si jugez bon de m'adjoindre quelqu'un chargé de vos intérêts pour aller voir terrains de Telav, envoyez avoué ou secrétaire. Hommages respectueux. Edwin Blankett, hôtel Vokzal, Nikolaïa. »

Puis, elle ajouta :

— Vous savez que la société qui vient d'être formée par mon ami Sir Eric Blushmore, pour exploiter ma concession, a délégué là-bas son ingénieur-conseil, monsieur Edwin Blankett... Il vient d'arriver, puisqu'il m'envoie ce message... Je voulais donc vous demander, Gérard, si cela ne vous ennuierait pas trop d'aller à Nikolaïa ? L'offre de monsieur Blankett est correcte et a dû lui être suggérée par mon ami Sir Eric qui tient à me prouver sa parfaite loyauté dans cette affaire... Mais comme je perdrais plusieurs jours à décider l'un de mes avoués de Londres à faire ce voyage, et comme vous êtes le seul homme qui possède toute ma confiance, je préférerais que...

J'interrompis Lady Diana d'un signe péremptoire de mon Gillette :

— Je partirai pour Constantinople par le prochain rapide... Je monterai dans l'Orient-Express à Vienne et j'embarquerai sur le premier bateau qui partira du Bosphore à destination du Caucase.

Lady Diana me remercia vivement :

— Gérard ! Vous êtes un ange... Si vous aviez moins de savon sur les joues, je vous embrasserais de tout cœur... Voulez-vous que je vous aide à préparer votre valise ? Si ! Si !... Laissez-moi faire et expédiez votre barbe.

Je me hâtai devant mon miroir, pendant qu'elle s'occupait de mon bagage. Quand je me retournai, les joues encore humides, je m'aperçus qu'elle avait jeté, pêle-mêle, dans mon sac de cuir, douze cravates et une paire de chaussettes ; mes escarpins vernis et un tube de cachets d'aspirine ; mon chapeau claque du soir, un foulard tango et un seul porte-chaussettes. Alors, je la suppliai d'aller s'habiller et lui donnai à entendre gentiment qu'elle ignorait l'art de faire une valise d'homme. Elle parut très étonnée et sortit en m'accusant de n'être qu'un vieux maniaque.

8

Je marquai ma place dans un compartiment du rapide Berlin-Vienne et je rejoignis Lady Diana qui était venue m'accompagner sur le quai de la gare d'Anhalt. Elle me renouvela ses instructions dernières.

— Vous m'avez bien comprise, Gérard?... Dès que vous aurez pris contact avec monsieur Edwin Blankett, étudiez avec lui la mise en valeur immédiate des puits de ma concession. Vous me télégraphierez votre impression dès que vous aurez visité avec lui les terres de Telav. Je compte sur vous pour me renseigner exactement sur le rendement éventuel de l'affaire.

— Resterez-vous à Berlin?

— Non. Je rentrerai à Londres mardi... Varichkine m'a téléphoné tout à l'heure qu'il obtiendra une mission extraordinaire en Angleterre. Il m'y rejoindra sous peu.

— Et le mariage?

— J'attendrai vos nouvelles pour le conclure. Varichkine est évidemment pressé de le célébrer, mais je préfère connaître d'abord le résultat des entrevues de Blankett avec les pouvoirs soviétiques locaux... On ne sait jamais avec ces gens-là. Dès que vous m'aurez rassurée sur ce point, j'offrirai alors mon annulaire au Slave de mes pensées... Soyez prudent, mon petit Gérard... Ne vous enrhumez pas et n'allez pas oublier votre mission dans les bras d'une Circassienne aux yeux de rêve! À propos, vous avez votre passeport dans votre poche?

— Oui! Oui! Varichkine m'a signé et fait contresigner le « sésame ouvre-toi » qui me permettra d'entrer dans le paradis géorgique, à la porte duquel veillent en ce moment les archanges de Moscou. Je suis paré. Il ne peut rien m'arriver là-bas, sinon de mal manger. Mais je me rattraperai à votre dîner de noces... Car vous m'attendrez, n'est-ce pas, pour épouser votre cher Varichkine?

— Je vous le jure, Gérard.

La locomotive siffla. Je serrai une dernière fois les mains de Lady Diana et regagnai mon compartiment. Le train sortit de son immense niche de briques rouges et rythma sur des aiguilles innombrables les syncopes de sa danse accélérée. À ma droite, un voyageur lisait déjà, au visage rose et poupin, hachuré des balafres de ligueur qui trahissaient ses prouesses universitaires. Vis-à-vis, du côté du couloir, un Anglais en tenue de golf, *homespun* granité épinard et terre de Sienne, ouvrit un guide de Karlsbad et ignora le reste du monde. Dans le filet, au-dessus de sa tête, des clubs s'entassaient, emmaillotés de toile grise, à côté d'une valise en porc qui eût renfermé trois hommes coupés en morceaux. En face de moi, il n'y avait personne ; mais la place était marquée par un manteau beige bordé de skunks, un petit sac de voyage en cuir bleu paon, un numéro du *Simplicissimus* et de *Punch*.

Une Anglaise ou une Allemande ? Je pensai que l'illustré munichois trahissait la nationalité germanique de la voyageuse et m'étonnai qu'elle n'eût point encore réintégré son compartiment. Une demi-heure passa. Le Saxon balafré tira un cigare d'un étui de cuir orné d'une tête de cerf, le tâta, le flaira, le suça et le coupa d'une incisive expérimentée. Il échangea son melon contre une casquette de lustrine noire, lança ses jambes du côté de l'Anglais, en murmurant : « *Verzeihen Sie...* », prit dans la poche de son *ulster* l'édition du matin des *Dresdener Nachrichten* et commença de lire en matant, d'une main sur sa bouche, une éructation inopportune. L'Anglais dont les pieds avaient été dérangés – à peine – par le Saxon, écarta ses pattes de faucheur, enca- dra en les bousculant les petites jambes de l'autre et ne s'excusa point.

J'allais me lever pour explorer les couloirs quand une femme apparut dans l'encadrement de la porte... Elle hésita devant l'enchevêtrement de tibias qui barricadaient le passage. Mais le Saxon obséquieux retira les siens, tandis que l'Anglais, dissimulé derrière son guide, ne levait même pas la tête. La voyageuse s'assit en face de moi.

Je l'observai, tandis qu'elle fouillait dans le petit sac bleu paon. Un visage agréable aux yeux bleu pervenche et qui souriaient sous une cloche de paille tête de nègre. Un nez mutin sur une bouche sensuelle et un grain de beauté naturel sous l'œil gauche. Très *Lustige Blaetter*. C'était certainement une Berlinoise. Elle sentait un Coty périmé. Pas mal chaussée d'ailleurs, mais des bas de soie artificielle et un petit collier de perles fausses au cou. Elle feuilleta le *Simplicissimus* sans prêter grande attention aux dessins des héritiers de Reznicek et croisa ses jambes en tirant sa robe, à tort d'ailleurs, car ses chevilles étaient fines et ses jambes harmonieuses.

Je lui demandai en anglais la permission de fumer, bien que nous fussions dans un compartiment étiqueté : *Raucher*. Elle murmura un acquiescement aimable et bilingue :

— *Bitte schön... Certainly, Sir...*

Le train fusa à travers la gare de Zossen... Le Saxon alla finir son mauvais cigare dans le couloir. Le joueur de golf se leva pour haranguer le dolman blanc du préposé au wagon-restaurant. J'observai discrètement ma voisine. Mon instinct longtemps endormi de Parisien juponnier se réveillait. Alléché par l'aventure possible, je redevenais le Français qu'on ridiculise dans le monde, le Barbe-Bleue des trottoirs, le dispensateur d'oeillades, l'escamoteur qui glisse sa carte pliée dans la main qui consent... Je pensais qu'une récréation sans lendemain, à Vienne, ne serait pas sans attraits...

La voyageuse enleva son chapeau qui roula, poisson de paille, dans la masse du filet porte-bagages. Elle tira une cigarette d'un petit étui incurvé et chercha dans son sac. L'occasion me narguait, avec une allumette au milieu du crâne.

— Vous permettez, madame?

La conversation était allumée. L'Anglais plongeait jusqu'aux coudes dans sa valise monumentale. Le Saxon, dans le couloir, ne perdait pas une bouffée de sa fumée malodorante. Nous échangeâmes quelques banalités, à mi-voix :

— Vous allez jusqu'à Vienne, madame?

— Oui, monsieur.

— La perle de l'Europe centrale, n'est-ce pas?

— Je préfère Prague, avec son Radschin imposant et le vieux pont Charles hérissé de statues.

— Vous parlez le tchèque?

— Non. Je suis berlinoise... Cela s'entend à mon accent, n'est-ce pas?

Sa tête nue me plaisait pour sa jolie forme, avec la raie médiane qui partageait la blondeur des cheveux tressés en macarons sur les oreilles.

À midi, elle acceptait de déjeuner à ma table, dans le wagon-restaurant.

À midi et demi, je savais qu'elle était veuve d'un lieutenant du 2e régiment de la garde, tué sur l'Yser en 1915, qu'elle avait une vieille tante à Vienne, qu'elle adorait le poète défunt Lilieneron et qu'elle connaissait une excellente recette pour faire les paupiettes de veau avec une sauce à la farine brûlée... À une heure, je savais encore qu'elle avait été élevée dans un pensionnat de

Hanovre et qu'on l'avait surprise un soir dans le lit de la plus jeune fille du prince de Schaumburg-Detmold... Une si belle adolescente, et dont les lèvres sentaient l'anis!...

Nos deux chartreuses synchronisaient leur *shimmy* sous les cahots des boggies. Ma Berlinoise était rose et satisfaite. L'aventure charmait la monotonie de mon voyage et le ronron du ventilateur invitait aux confidences.

— Vous plairait-il, madame, d'accepter à dîner avec moi? Nous arriverons à Vienne à neuf heures... Je connais une petite boîte, dans l'ancienne Giselastrasse...

— Je ne sais pas si je dois...

— L'imprévu, madame... Le piment de la vie... Le coucou de l'horloge du Temps!

— Mon Dieu, il a du bon... Je me laisserais presque tenter...

— Pourquoi pas? Il y a dans toute femme une sainte Antoinette qui sommeille.

En descendant sur le quai de la gare à Vienne, le petit sac bleu paon partit sur le chariot du porteur, à côté de ma valise jaune; le manteau bordé de skunks frôla la manche de mon pardessus et, un quart d'heure plus tard, la valise jaune entrait dans la chambre 26, au Bristol, tandis que le petit sac bleu disparaissait dans la chambre 27.

L'Orient-Express, à destination de Constantinople, ne passait que le surlendemain. J'avais encore trente-six heures de permission.

∞

Le restaurant *Chez Zulma*. Une douzaine de petites tables à nappes camaïeu, avec une rose dans une éprouvette de cristal et un poudrier de bois rempli de paprika. Entre les tables, des paravents d'étoffe, propres à isoler les amants incognito.

— Comme c'est gentil ici!... Mettons-nous là, voulez-vous?

Ma Berlinoise s'installa, joyeuse. Deux vrais tziganes à visages de repris de justice élégiaques jouaient en sourdine. Une orchidée de papier jonquille habillait l'ampoule nue de la lampe. Je me penchai vers mon invitée :

— Votre petit nom?

— Klara.

— Regrettez-vous notre rencontre?

— Oh! non... Je croyais dîner avec ma vieille tante Louisa... Elle ne me verra que demain... C'est la vie!

— Voulez-vous que le violoniste nous fasse entendre quelque chose de votre goût?

— Oui!... Oh! oui... Pour me faire plaisir, demandez-lui la valse de *Fledermaus*. Cette mélodie de l'opérette de Strauss me fera revivre ma jeunesse...

Le tzigane s'exécuta, tandis qu'on nous apportait des choux rouges déteints par le vinaigre, des anchois roulés comme des ressorts de montre et un ravier où s'étalait la chlorose d'un céleri haché. Klara, mangeant à peine, écouta le rythme romanesque et désuet de la vieille valse viennoise. Je lisais dans la mélancolie soudaine

159

de ses yeux bleus le rappel du passé où, fillette nubile à peine, elle berçait la nostalgie de ses premiers désirs, assise devant son piano. Je lui pris la main. Je murmurai :

— Un après-midi de printemps... Les marronniers de Charlottenburg montrent le ciel avec leurs thyrses qui sont leurs doigts roses. Dans un petit salon aux meubles tout neufs, je vous vois, chère Klara, vêtue de blanc, avec vos deux nattes blondes enroulées autour des tempes... Vous êtes seule... Vous avez seize ans... Vous vous êtes assise sur le tabouret et vous jouez sur le clavier cette même valse, si sentimentale et si tendrement puérile... Votre petite âme peuplée de pensées inavouées évoque un beau lieutenant de la garde entrevu dans un bal... Des baisers subreptices dans les allées du Tiergarten... Des rêves merveilleux à l'ombre de l'Église du Souvenir de Guillaume Ier... La valse continue, lascive, grisante... Elle berce le bal blanc de vos désirs flous... C'est votre premier voyage au Venusberg des adolescentes imaginatives ; vous découvrez la grotte magique où l'on voit les seins menus des vierges s'épanouir et leur calice palpiter dans l'attente de l'inconnu... Chère Klara... Promenons-nous parfois dans le jardin du passé, à l'ombre des réminiscences en quinconce. C'est un parc miraculeux dont les feuilles ne jaunissent jamais.

Les tziganes se turent. La main de la voyageuse tremblait sous la mienne. Ses yeux embués me considérèrent, attristés et ravis. Tout à coup, elle se pencha, m'offrit ses lèvres et d'une voix changée, elle murmura :

— Merci... Vous m'avez fait plaisir. Je vous revaudrai cela.

Je ne devais comprendre que plus tard le sens de cette parole. Ce soir-là, je pensais que cette mélodie agréable l'avait enfin décidée à pousser l'aventure jusqu'au bout. J'en remerciai voluptueusement feu monsieur Strauss, dont la musique voluptueuse fait fondre les vertus rétives et hâte la chute des Allemandes dans les bras des touristes désœuvrés.

À onze heures, nous rentrions à l'hôtel Bristol après une promenade autour des jardins de la Hofburg, sous un clair de lune excessif qui ruisselait sous les coupoles vert-de-grisées et les toits brillants du palais. La veuve du lieutenant de la garde était ivre de czardas et de propos galants. Sur le seuil de sa chambre, dans le couloir désert, je lui baisai la main et fis mine de m'éloigner. Elle me regarda avec la jolie moue de reproche que les marquisettes du XVIIIe siècle dédiaient aux cages ouvertes :

— Oh !... Une dernière cigarette ?... Venez...

Je la suivis. Je fis monter une bouteille de « goût américain ». Klara, très gaie, me banda les yeux avec la serviette qui étranglait le goulot de la bouteille et m'ordonna de ne pas regarder.

— Vous l'enlèverez au commandement... Pas avant...

Docile, je fermai les yeux derrière le bandeau.

J'entendis le jeu de la serrure de la valise. La porte de l'armoire grinça. Un vaporisateur fit « pfffft! » comme un chat qui va griffer. Deux talons de petits souliers tombèrent. Un froissement d'étoffe précéda le craquement du lit. Deux commutateurs électriques se répondirent.

— *Achtung!* commanda une voix douce. *Jetzt dürfen Sie...*

Je rouvris les yeux. La petite lampe de chevet, seule, brûlait. Dans le grand lit, Klara guettait ma surprise, à l'affût derrière l'oreiller. Un bras nu se dressa pour me signaler le S.O.S. de la volupté... Je courus au secours de la naufragée. Et la tempête fit rage dans un océan de linon crème, de batiste blanche et de satin vert Nil.

ℝ

Le lendemain matin, je me rendis au consulat turc et fis viser mes papiers. Je commandai une gerbe de roses thé pour Klara et achetai une étude documentaire sur le pétrole, afin de mieux comprendre, à Nikolaïa, les propos de monsieur Edwin Blankett, expert en naphte. On peut prendre Le Pirée pour un homme, mais on n'a pas le droit de prendre l'Acropole pour une filiale de la Standard Oil.

Je déjeunai seul. Klara m'avait prévenu qu'elle me retrouverait au Kaffee Franz, après avoir acquitté ses devoirs de famille.

À cinq heures, elle vint, très ponctuelle, s'asseoir à ma table. Elle semblait heureuse de me revoir et s'assit irrévérencieusement sur le *Wiener Adenblatt*.

Nous croquâmes des bretzels devant deux mokas savoureux et deux verres d'eau fraîche. Nous flânâmes dans la ville et allâmes manger des *haluschka* de farine frite et de fromage blanc, du côté de l'église des Augustins.

Vers dix heures, le visage de Klara parut s'assombrir. Son genou pressa le mien sous la nappe et les ongles de sa main gauche se crispèrent sur mon poignet. Ses sourcils se levèrent, ses yeux eurent une expression de tendresse navrée et elle soupira :

— C'est vrai, vous partez demain pour Constantinople ?

— Hélas !... Klärchen... il le faut.

— Alors, c'est notre dernière nuit !...

— Oui. À moins que vous ne m'accompagniez jusqu'à Péra. Je n'ose pas vous le demander... Pourtant, je serais bien heureux que...

— Et si j'osais accepter ?

Ma petite veuve berlinoise était trop séduisante pour que sa réponse ne me causât le plus vif plaisir. Je caressai sa main offerte :

— Demain, à onze heures, nous partirons ensemble, chérie... Nous reculerons ainsi la douloureuse échéance.

— Et puis, nous nous dirons tout de même adieu. Et puis, vous disparaîtrez pour toujours...

— N'est-ce point le sort des hommes sur ce monde indifférent ?... Le destin est un maroquinier fantasque. Il s'est plu, hier, à favoriser le flirt d'un sac bleu avec une valise jaune... Dans quatre-vingt-seize heures, leur intimité aura vécu. Allah est grand et Mahomet n'est pas prophète au Pays du Tendre.

— Je trouve ça terriblement triste. Et vous ?

— Vous soulevez là, ma charmante amie, le problème qui épouvantera toujours les humains... Croyez bien que la relativité de la durée passionne moins les métaphysiciens que les amants... Roméo vient de gravir l'échelle de corde, mais il faudra qu'il descende... Nous avons tous peur du chant de l'alouette...

— Et si elle s'abstenait un jour de chanter ?... Ah ! le beau miracle !

— Non, Klara... C'est l'incertitude de son appel qui avive la passion et qui nous fait nous aimer davantage... Sans le grisollis de l'alouette, notre aventure n'aurait plus de saveur, parce qu'elle n'aurait pas de fin.

— J'aurais voulu qu'elle pût durer toujours.

— Durer ! Durer ! Même la Terre qui dure se refroidit peu à peu. C'est une vieille qui a des rides et qui, dans un million de siècles, ne jouira plus des caresses du soleil.

— Chéri, vous êtes décevant.

— Non ! Non ! Nous n'échangeons que des puérilités sur un sujet qui intéressait les hommes bien avant Platon... Savez-vous ce que nous sommes ?... Des enfants assis sur la grève qui écoutent sagement la mer dans des coquillages et croient que ces conques nacrées contiennent tout l'Océan... Garçon!... encore une bouteille de Heidsieck-Monopole!

Nous entrâmes dans l'hôtel. La gerbe de roses fleurissait le couvre-pied vert Nil. Klara stupéfaite les respira, les yeux clos. Elle se jeta dans mes bras. Et tout à coup, elle fondit en larmes. Je crus d'abord qu'elle riait. Mais quand je vis des pleurs couler, je m'étonnai et la serrai contre mon cœur. Elle ne voulut pas me dire la cause de cette crise inattendue. Elle murmura d'une voix que l'émotion faisait trembler :

— Chéri! Chéri! Tu es bon... Je t'aime... Je t'aime... Et je te le prouverai...

Je m'efforçai de calmer sa nervosité avec des caresses apaisantes et des mots d'amour chuchotés dans ses cheveux défaits. Mais la douceur de mes gestes semblait, au contraire, aviver sa crise de nerfs. Elle tomba sur le lit, déchira sa robe, griffa comme une chatte le satin du couvre-pied, mordit son avant-bras nu, le corps secoué de spasmes... Je crus entendre cette exclamation, râlée dans l'oreiller :

— *Ach Gott!*... Je ne suis pas une mauvaise femme! Tu verras... Tu peux m'aimer encore!...

La cloche d'un tramway tinta sur le Ring. Le septième ciel de la légende s'immobilisa au deuxième étage de l'hôtel Bristol. Éros, maître de ballet, régla la pavane des baisers silencieux. Puis, la lampe de chevet brilla de nouveau, feu follet rose sur le tombeau des grands frissons.

9

Le voyage m'avait semblé trop bref. Budapest, Brasov, Bucarest, Constantza... Autant de haltes libertines sur l'horaire de notre sleeping-car. Maintenant, nous partagions la même chambre au Péra-Palace. Et malgré que j'en eusse, je comptais les heures, avant de dire adieu à cette compagne blonde que le hasard avait placée malicieusement dans un coin de mon compartiment.

Don Juan disait : Une de plus !... J'aurais volontiers soupiré : Une de moins, avant de boucler le périple de ma vie ratée !... Le Tueur de Femmes, comme on l'appelle chez les Britanniques, est-il fier de contempler sur les murs de son fumoir les dépouilles de ses victimes ? Les cornes menues de la jouvencelle qui tomba, sans défense, un soir de printemps ? Le dix-cors de la coquette altière qui succomba devant l'hallali des snobs ? La fourrure blanche de l'épouse vertueuse qui mourut en luttant jusqu'au bout contre l'appel de ses sens déchaînés ? Le pelage changeant de l'affranchie blasée qui expira en beauté pour chercher une volupté nouvelle ? Pauvres trophées de chasse dont s'enorgueillit le trappeur en habit noir et qui ne laissent dans son cœur fatigué que la cendre d'une pincée de souvenirs.

Trois jours durant, nous dégustâmes Constantinople, avec les jeux de quilles de ses minarets pointés vers le zénith. De Disdarié à Stamboul, de Sirkedçi à Iédi-Koulé, nous perdîmes la notion du temps qui passe, à respirer des parfums de rose fanée, des senteurs de *raki* et des fragrances ambrées, évocatrices de harems désaffectés. Nous flânâmes, couple perdu, le long des murs des *yalis* ourlés d'arbres de Judée, au long du Bosphore tranquille, dans l'inquiétude dorée du crépuscule. Nous musâmes sur le seuil des bazars remplis de choses hétéroclites et bigarrées. Assis dans l'*araba* mal capitonnée d'un cocher apoplectique, nous fîmes un pieux pèlerinage à la nécropole d'Eyoub, funèbre jeu de dominos, aux doubles-blancs innombrables fichés dans la terre sèche. Puis, deux soirs durant, après l'oraison vespérale des muezzins, nous nous perdîmes dans la cohorte cosmopolite de la rue de Péra, encombrée de matelots en cascades, de Russes en grappes et de Grecs en brochettes...

Nos heures étaient comptées. Et nos baisers prenaient déjà le goût âcre et amer de la séparation imminente. Le quatrième jour, je passai mon après-midi à courir les bureaux des armateurs dans le dessein de trouver un steamer partant le plus tôt possible pour Batoum. À la

Compagnie des vapeurs turcs, on m'offrit de monter à bord du bateau mixte *Abdul-Aziz*, qui toucherait les ports du Caucase dans une douzaine de jours. Klara m'avait accompagné. Elle me déclara :

— Chéri, je pourrais peut-être t'aider à trouver un bateau. Je connais un négociant égyptien qui jadis venait à Berlin deux fois l'an et qui ne demandera pas mieux que de m'obliger. Ses bureaux sont dans la rue Voïvoda.

Nous rendîmes visite à monsieur Ben Simon qui nous reçut dans un bureau constellé d'échantillons de *rabat-loukoum*, de fruits secs, de bimbeloterie, de tapis du Daghestan ou de Karamanie, de broderies bulgares et de phares d'automobiles. Ce trafiquant éclectique nous offrit deux tasses de café et me donna une recommandation pour monsieur Agraganyadès, directeur de la Compagnie des bateaux-citernes Phébus. Ce Grec issu d'une Sicilienne et d'un usurier de Patras me proposa de prendre passage le lendemain à midi à bord d'un de ses navires – il appelait ainsi ses rafiots de neuf cents tonneaux, qui transportaient le pétrole de Batoum à Salonique. Je lui exprimai ma reconnaissance la plus vive et rentrai au palace.

Ma dernière nuit avec Klara fut estompée par la tristesse du départ irrémédiable. L'aube nous surprit, tendrement enlacés. Ma petite Lorelei avait dénoué ses cheveux qui tombaient en cascade blonde sur la rondeur de son épaule nue. Je lui dis :

— Neuf heures... Il faudrait nous habiller, chérie.

Elle me retint et supplia :

— Oh! nous avons bien le temps!

L'heure passa. Si brève. Un rayon de soleil, fusée d'or oblique, dans le clair-obscur de la chambre, dessinait une ellipse sur le milieu de la couverture... Quand elle aurait atteint le bord du lit, il faudrait nous arracher aux délices de Péra. Des baisers et des caresses abrégèrent les minutes ultimes. L'ellipse lumineuse allait tomber du drap. Je m'arrachai à l'étreinte de Klara et sautai à bas du lit. Alors elle se dressa, brusquement, pathétique, les bras tendus, et elle cria :

— Non! Non! Ne pars pas... Écoute-moi! Il faut que je te parle...

Déconcerté par son accent de sincérité, je me rapprochai d'elle. D'une voix que l'émotion voilait, elle continua :

— Chéri... Je ne veux pas te quitter sans t'avoir tout dit... Je veux que tu me pardonnes de t'avoir espionné et que tu me méprises moins parce que j'aurai soulagé ma conscience...

J'avais tout compris. Je la serrai encore une fois dans mes bras et je lui dis, sans rancune :

— Tu es à la solde de Moscou.

Elle courba la tête dans l'angle de son coude. Je lui caressai la nuque :

— Je ne t'en veux pas, chère petite Klara, je ne t'en veux pas, parce que tes baisers furent doux à mes lèvres et que ton sourire sut charmer les heures fugitives de notre court voyage...

Mon indulgence la troublait profondément. Elle pleura contre ma poitrine. Et puis, elle se confessa :

— Gérard... Je suis une misérable... Si! Si!... Mais ce n'est pas tout à fait ma faute. Je suis réellement la veuve du lieutenant Hoeckner, tué sur le front français en 1915. Depuis la guerre, j'ai vécu de ma pension et de mes petites rentes. Mais la dévalorisation du mark m'a poussée à chercher un revenu facile qui me permettrait de vivre sans tomber dans la galanterie. Le hasard de mes relations m'a mise en rapport avec le service du contre-espionnage des Soviets. Ils avaient besoin d'une femme, pas trop laide et pas trop bête, pour exécuter certaines missions confidentielles... J'acceptai... On me chargea d'abord de petits travaux dont je me tirai facilement. Je montai en grade... On m'attacha officieusement à la délégation bolchevique de la conférence de Gênes... Je fis les couloirs des grands hôtels ; je notai les propos chuchotés derrière les colonnes ; je fus courtisée à Miramar par un observateur américain et par un parlementaire français qui me renseignèrent à leur insu... Bref, je gagnai la confiance de mes chefs... Le mois dernier, pendant les pourparlers anglo-soviétiques à Londres, je fus chargée d'une enquête discrète dans les milieux dirigeants du Labour Party. On me vit au *Daily Herald et* aux parlotes de la Fabian Society, sous les traits d'une féministe allemande : les Sinn-Feiners me parlèrent à cœur ouvert... Tous les deux jours, je faisais un rapport dans un petit bureau de Throgborton Street, un office sans apparence de modeste coulissier où l'on cuisine la propagande et l'espionnage bolcheviques... Je rentrai à Berlin... Il y a quelques jours, je fus appelée par une femme qui joue un rôle occulte auprès de certains commissaires et qui me reçut dans son bureau particulier.

— Belle-Alliance Platz, n° 44... Madame Mouravieff.

Klara me regarda, étonnée :

— Tu la connais ?

Je répondis, évasif :

— J'ai entendu parler d'elle... Continue...

— Elle me demanda s'il me plairait de surveiller un Français qui devait se rendre de Berlin à Nikolaïa.

J'interrompis brusquement Klara. Ses paroles me donnaient beaucoup à penser.

— Dis-moi exactement quand la personne en question t'a parlé de mon voyage à Nikolaïa ?

— Attends un peu... Nous sommes partis de Berlin mardi matin... C'était la veille... lundi après-midi.

— Tard ?

— Vers six heures.

Je me souvins que j'avais vu madame Mouravieff ce lundi-là, à trois heures. Comment avait-elle pu deviner que Lady Diana, recevant un télégramme de Nikolaïa le lendemain matin, m'enverrait en mission aussitôt ?... Les hypothèses s'entrecroisèrent dans mon cerveau en

172

éveil... Une seule me parut plausible... La dépêche envoyée par monsieur Edwin Blankett avait été certainement communiquée aux informateurs de madame Mouravieff avant d'être expédiée. Et celle-ci, prévenue plus rapidement que nous par la voie diplomatique, avait appris lundi après-midi que Lady Diana recevrait le lendemain le télégramme de l'expert. Il était donc logique qu'elle escomptait mon brusque départ...

Ce point éclairci, je priai Klara d'achever ses intéressantes révélations.

— Je répondis à la Russe que j'étais prête à partir et lui demandai ses instructions. Elle commença par me montrer une grande photographie de toi, extraite d'une revue américaine. Il y avait écrit dessous : « Le prince Séliman, qui vient d'épouser madame Griselda Turner... » Tu vois, chéri, je connaissais exactement ton identité, sans que tu t'en doutes !... La Russe me recommanda de bien me graver tes traits dans ma mémoire et de te prendre en filature dès que tu quitterais Berlin. Elle ajouta : « Votre mission sera d'aguicher cet oiseau-là – je te demande pardon, *Liebling,* ce sont ses termes propres – de vous emparer de ses documents, s'il en a d'intéressants, et de me signaler les personnes avec lesquelles il s'entretiendra... Ça ne vous sera pas difficile, car vous êtes jolie et ces imbéciles de Français sautent sur les jolies femmes, comme des grenouilles sur un morceau de drap rouge. S'il est réfractaire, arrangez-vous pour le filer quand même et, à Constantinople, faites résolument sa connaissance. Le service des bateaux de Constantinople à Batoum est en ce moment très irrégulier. Il faudra l'aider à prendre passage sur un des cargos de la Compagnie Phébus, afin qu'il débarque le plus tôt possible à Batoum. Dès qu'il sera à bord, vous me télégraphierez au chiffre que vous connaissez à Moscou. Vous rentrerez à Berlin et votre mission sera terminée... » Le lendemain matin, je te reconnus aussitôt sur le quai de la gare d'Anhalt et marquai ma place en face de la tienne. Tu sais la suite. Tu lias conversation et je me prêtai à tes avances. Ma consigne l'exigeait. Et aussi une impulsion secrète, quelque chose d'indéfinissable qui m'attirait vers toi. Tes manières si courtoises, notre petit dîner si romanesque *Chez Zulma*, la discrétion avec laquelle tu ne cherchas pas à me conquérir à la hussarde, le soir, au Bristol, tout cela acheva de me séduire, et ce ne fut pas une espionne en service commandé, mais une femme heureuse que tu possédas ce soir-là...

— Et après ?

Klara baissa la tête et, rougissante, elle continua :

— Je profitai d'une de tes absences pour jeter un coup d'œil sur tes papiers, dans ta chambre. Il fallait bien exécuter les ordres, n'est-ce pas ?... D'ailleurs, même si j'avais découvert des choses intéressantes pour cette Russe, je ne t'aurais pas trahi. La preuve, c'est que je lui ai envoyé trois rapports fantaisistes et peu compromettants.

— Tu sais bien que je ne t'en veux pas, Klärchen, et que ta franchise me touche infiniment...

Elle devint alors très grave, me prit les deux mains et me dit soudain :

— Chéri... J'ignore ce que tu vas faire en Géorgie, mais si tu veux m'en croire, renonce à ce voyage...

Je haussai les épaules et plaisantai :

— Renoncer à ce voyage ?... Parce que je pourrais tomber dans un puits de pétrole ?... Tu veux rire.

— Non ! Non !... C'est un pressentiment... Tu commets là une imprudence folle...

— Qu'est-ce qui te suggère cette pensée ?... Madame Mouravieff t'a fait des confidences ?

— Non. Rien de précis. Mais je connais la réputation de cette Russe. Elle m'a parlé de toi avec une animosité qui ne présage rien de bon...

— Que t'a-t-elle dit exactement ?

— Elle m'a dit : « Le prince Séliman est un de mes ennemis et à la guerre, il est essentiel d'être renseigné sur les mouvements de l'adversaire... » Mais son regard trahissait une telle hostilité à ton égard que je te supplie de suivre mon conseil.

Je m'assis sur le bord du lit. Les propos de Klara valaient d'être médités. Il était évident qu'elle ignorait tout du drame intime qui formait la trame de cet imbroglio. Quant à moi, je ne voyais que deux solutions possibles : ou bien ne pas tenir compte des appréhensions, justifiées cependant, de ma blonde alliée et poursuivre mon voyage, ou bien tourner bride devant le danger et télégraphier à Lady Diana que je

renonçais à défendre ses intérêts au Caucase...
Agir de la sorte eût été indigne de moi. Je ne
pouvais pas avouer à Lady Diana qu'effrayé par
le spectre de madame Mouravieff, je préférais
fuir les risques de déplaire à cette Russe et rentrer paisiblement à Londres. Je ne pouvais même
pas, devant ma conscience, hésiter une minute
de plus à partir.

— Chère Klara, dis-je en souriant, ta sollici-
tude me prouve la sincérité de ta tendresse. Je
t'en suis reconnaissant du fond du cœur. Mais
vraiment, madame Mouravieff n'est pas la Gor-
gone, et je ne renoncerai pas, pour la haine de
ses beaux yeux, à m'embarquer sur le bateau
de monsieur Agraganyadès... J'ai un passeport
en bonne et due forme, visé par Moscou... Je
vais retrouver un ami... Que peut-il m'arriver de
fâcheux ?

— Un passeport en règle !... Tu sais bien que
cela n'a aucune importance. Depuis l'insurrection géorgienne, l'état de siège règne là-bas et tu
es à la merci du bon plaisir des bolcheviks.

— C'est possible. Mais je partirai quand
même. Et puis, un citoyen étranger ne s'esca-
mote pas aussi facilement qu'un pauvre menchevik... Allons, Klara très chère, habille-toi vite
et viens exécuter ta consigne ultime, qui est de
me voir embarquer pour Batoum.

À midi moins le quart, une voiture nous dépo-
sait sur le quai, devant le *Djoulfa*, un bateau-
citerne qui ne ressemblait pas plus à un paque-
bot qu'une brouette à une Hispano-Suiza. Klara

était montée avec moi sur le pont exigu. Trois minutes avant le dernier coup de sirène, elle supplia encore :

— Chéri... Reste avec moi... Je télégraphierai tout de même à Moscou que tu es parti...

— Non... Tu es un amour et je te souhaite beaucoup de bonheur... Qui sait ? Nous nous reverrons peut-être un jour à Londres ou à Paris, au hasard de tes missions...

Le second du *Djoulfa* nous fit signe qu'on allait retirer l'étroite passerelle. Klara et moi nous nous étreignîmes longuement, sans rien dire. Elle me donna encore ses lèvres et s'en alla très vite d'un pas mal assuré sur le plancher instable. Le branle-bas du départ s'accéléra. Un coup de timbre résonna dans la chambre des machines. La dernière amarre fut larguée. Mon mouchoir tourna au-dessus de ma tête. Klara me répondit en agitant le sien, entre une pile de toiles goudronnées et un Turc placide, au fez décoloré.

Je contemplais en silence la fine silhouette de ma charmante espionne lorsqu'un gros homme, vêtu d'une gandoura noire brodée de rouge sur la poitrine, me regarda avec compassion. Il s'interrompit de mâcher quelque chose, pour me dire très doucement :

— Ça fait de la peine de quitter sa femme, Effendi ?

Je lui répondis à peine. Klara était encore là-bas sur le quai qui s'éloignait. Son tailleur gris perle et son petit chapeau blanc évoquaient une mouette immobile sur le môle du port... Je me sentis soudain très triste de l'avoir quittée. Hélas ! Pouvais-je prévoir qu'elle avait dit vrai et que j'allais au-devant d'épreuves si cruelles ?

∽

Le *Djoulfa* n'avait qu'une cheminée. Mais elle fumait abondamment, saupoudrant de suie le deck fort exigu sur lequel s'ouvraient les six portes des six cabines à passagers. J'avais l'impression de voguer sur un gazogène flottant. Le *Djoulfa* flottait d'ailleurs mal et roulait comme un fromage de Hollande, car, naviguant sur lest, il allait à Batoum remplir les cinq cents tonnes de ses réservoirs.

Le commandant de cette nef blindée était un Levantin galonné d'or jusqu'aux coudes, mais dont les pieds nus étaient chaussés d'espadrilles et la main gauche tatouée d'un svastika bleu. Pourquoi cet orthodoxe au visage de Christ épilé portait-il la croix gammée hindoue sur son métacarpe tanné par l'embrun ? Je n'osai lui demander l'explication de cette anomalie, car il ne semblait pas aimer la société des passagers accidentels que ses armateurs lui imposaient de temps en temps. Le vieux Turc sympathique, à la gandoura noire, qui s'était apitoyé sur mon infortune sentimentale et qui m'avait pris sous sa protection, me donna la clef de cette hostilité :

— Le commandant n'aime pas qu'il y ait du monde à bord – à part l'équipage – parce qu'il ne peut pas se saouler aussi facilement. Il a peur qu'un passager ne se plaigne à messieurs Agraganyadès.

Mon compagnon de voyage semblait très renseigné et très affranchi de tout préjugé oriental. Je lui montrai deux matelots qui arrimaient l'entrée de la soute aux bagages et lui dis en souriant :

— Ces messieurs m'ont l'air de comitadjis en rupture de potence !

Le Turc eut un geste fataliste, enleva d'une chiquenaude une escarbille qui maculait sa broderie et répondit :

— Ne croyez pas, monsieur... Assassins, point... Voleurs, assurément.

Le distingué ne manquait pas de saveur... Je demandai à mon subtil Ottoman s'il avait souvent navigué sur la mer Noire, il acquiesça :

— Oh ! oui... Sur ce bateau et sur d'autres. Je vais souvent à Trébizonde où j'ai un commerce de bois d'ébénisterie...

Les deux matelots passèrent derrière nous et échangèrent quelques mots dans un idiome incompréhensible. Un cinéaste parisien les eût volontiers embauchés, sans les maquiller davantage, pour figurer dans un film de piraterie. Je ne pus m'empêcher de revenir sur le sujet et de dire au négociant turc :

— Ces jeunes gens n'ont jamais tenté de vous jeter par-dessus bord ?

— Pourquoi... Voilà bien des idées de touriste occidental épris de romanesque !... La mer Noire est aussi pacifique que le lac de Genève... Depuis que je voyage sur les différents cargos qui font le cabotage, il ne m'est rien arrivé de fâcheux... On ne m'a jamais volé que deux montres et un portefeuille qui ne contenait heureusement que cent cinquante livres turques. L'hiver dernier, l'équipage du steamer *Moughla* nous a enfermés dans nos cabines pour piller les cales pendant une demi-journée... À part cela, les traversées sont excessivement monotones.

Tandis que le *Djoulfa* fendait sans excès de vitesse les lames courtes du Pont-Euxin, je voulus savoir qui étaient mes deux voisins de cabine. À droite, j'aperçus un Arménien sans faux col, en pardessus beige à taille, qui étalait sur sa couchette les tiroirs d'une malle d'échantillons. Il vérifiait l'alignement de ses bijoux couchés dans de l'ouate rose. Le vieux Turc m'apprit plus tard que ce commis voyageur au profil cyranesque ravitaillait en articles de Paris les Circassiennes hantées par l'élégance française et leur garantissait sa camelote allemande importée directement de la rue de la Paix. À gauche, la cabine exiguë était habitée par une dame voilée, une musulmane adipeuse, au tcharchaf couleur maïs.

Le premier repas fut servi à une heure dans une petite salle à manger sans faste, percée de quatre hublots tachés de vert-de-gris. Il n'y avait point de fresques sur les murs de pitchpin, mais des lithographies en couleurs qui vantaient l'excellence des Manoli, des Muratti et autres Abdullah... Le capitaine ne mangeait pas avec nous;

seul le second nous honorait de sa présence, un Macédonien borgne au visage grêlé, avec une grosse moustache de phoque. Il parlait assez bien anglais et pour imiter les vieux loups de mer britanniques damnait le saint nom de Dieu après chaque lampée de vin de Samos. Mon ami le Turc me parla de la mévente du cèdre et des bénéfices qu'il réalisait sur l'érable et le citronnier. La musulmane voilée s'était fait servir une soupe à la semoule dans sa cabine. Le voyageur arménien m'attira dans un coin, à l'heure du café, et me proposa une belle montre d'or, un chronomètre suisse qui sonnait les heures, indiquait les quartiers de la lune et annonçait les éclipses. Je lui demandai en souriant où il avait volé cet objet d'art. Il ne se formalisa point et m'expliqua :

— Je ne l'ai pas volé, monsieur. Je l'ai échangé contre un vieux veston.

— Comment ?

— Dans un hammam... En sortant du bain, je me suis trompé de vêtement.

— Vous n'avez pas rendu la montre à son propriétaire ?

— Vous plaisantez, monsieur ! Un ruffian qui s'est sauvé avec mon habit !

La journée fut monotone. À quatre heures et demie un petit incident vint rompre heureusement l'ennui de la traversée. Le capitaine à la main tatouée envoya un violent coup de pied dans l'arrière-train du deuxième timonier parce qu'il dormait en travers de la porte de sa cabine.

Il s'ensuivit une terrible altercation qui domina le ronronnement des machines. Le vieux Turc écoutait, impassible. Il me renseigna :

— Le timonier est furieux parce que le capitaine lui a dit que sa mère avait été saillie par un bouc entre deux cochons morts.

Je crus que la discussion allait dégénérer en drame, quand je vis le capitaine sortir de sa cabine, armé d'un énorme pistolet dont le calibre égalait celui d'une canardière. La querelle reprit de plus belle.

— Il va le tuer ! dis-je à l'oreille du marchand d'érable.

Mais celui-ci hocha la tête :

— Oh ! non... Il n'y a pas de cartouche dans le canon. Le capitaine veut lui faire peur... D'ailleurs l'autre exige simplement que l'offenseur retire les deux cochons morts.

Le soir, nous étions en vue de Sinope, une bourgade sans importance, dont l'estacade de bois trempait dans l'encre noire de la mer tranquille. Le lendemain, à deux heures, nous entrions dans le port de Trébizonde, parmi trois ou quatre cargos au mouillage, deux douzaines de voiliers hérissés de vergues et une nuée de petits canots, pucerons d'eau agglutinés.

La faune de cette rade ne m'eût point intéressé si je n'avais aussitôt remarqué un superbe yacht à vapeur qui battait pavillon étoilé sur sa coque éclatante de blancheur. Comme le *Djoulfa* ne partait pas avant huit heures du soir, j'avais tout l'après-midi pour flâner à terre. Je descendis avec le marchand de bois, lui dis adieu et me rendis au ponton d'accostage des barques à rames. J'avais aperçu la pinasse du yacht, pilotée par un matelot vêtu de blanc, et qui se dirigeait vers la terre. À bord, je distinguai deux personnes, un homme en bleu marine et une femme en toilette claire. J'étais curieux de voir de plus près des Américains qui choisissaient comme but d'excursion ces côtes arides de l'Anatolie.

Le Yankee en bleu marine lança un ordre au matelot, sauta sur le quai et tendit la main à la dame en rose.

Un coup de vent lui enleva son feutre qui roula de mon côté. Je le ramassai et le lui tendis. Les hommes habillés selon les derniers rites de la mode londonienne n'étant pas nombreux à Trébizonde, le passager du yacht me considéra cordialement et me dit :

— Un damné petit vent d'ouest, hein ?

— Vous n'avez pas été trop secoué dans votre coquille de noix ?

— Non... Nous sommes entraînés depuis deux mois que nous bourlinguons sur le *Northern Star*.

— Un beau yacht... Il est à vous ?

L'Américain découvrit deux dents cuirassées de platine et fit en riant :

— Mon Dieu non... Nous sommes, ma femme et moi, les hôtes du propriétaire... Vous connaissez Trébizonde ?

— Très mal... Mais si je peux vous être utile, cependant... Je ne repars que ce soir.

La dame en rose avait déjà braqué son Kodak vers un petit Arménien demi-nu qui plongeait pour gagner des cigarettes. Elle se retourna vers nous. Une grande blonde, d'allure sportive, à la démarche souple. Son compagnon se présenta, sans façon :

— W. R. Maughan... À qui ai-je l'honneur de parler ?

— Prince Séliman.

Une surprise indicible éclaira le visage de monsieur et madame Maughan. Le destin les eût mis tout à coup en présence du grand lama de Lhassa qu'ils n'eussent point manifesté un étonnement plus profond. Je dus moi aussi paraître déconcerté à l'extrême par leur attitude, car madame Maughan reprit, avec l'accent de la plus vive curiosité :

— Vous êtes le prince Séliman ?... Le mari de Griselda ?

— Oui, madame.

Monsieur Maughan frappa sa paume gauche avec son poing droit et s'écria :

— Damnation !... Une pareille rencontre, à cinq mille milles de New York... Dans ce sale petit trou de la mer Noire !...

Il se tourna vers sa femme, et la prenant à témoin d'un événement aussi baroque, il ajouta :

— Enfin, Ruth, qu'est-ce que vous pensez de cela ? Le prince Séliman à Trébizonde... Autant retrouver un petit pois dans la Voie lactée !

Les propos de cet homme m'intriguaient. Je lui déclarai, un peu ironique :

— Écoutez, monsieur Maughan, je suis ravi que ma présence en Arménie soit pour vous un tel sujet d'émotion... Oserais-je cependant vous demander pourquoi?

— Parce que Ruth et moi nous sommes de très bons amis de Griselda... Vous ne nous avez pas connus à New York parce que vous avez été trop peu de temps en Amérique et que votre déplorable séparation d'avec la princesse est survenue trop tôt... Mais soyez sûr que nul plus que nous n'a regretté le malentendu qui vous a éloigné de votre femme.

— Vous êtes au courant, il me semble?

Madame Maughan s'interposa :

— Si nous sommes au courant! Nous avons lu tous les détails de votre aventure à Palm Beach avec la belle-fille de Griselda... Mon Dieu! Il n'y avait pas là de quoi fouetter un chat... Et je n'ai jamais caché à Griselda qu'elle avait eu tort de vous tenir rigueur...

En fouillant dans ma mémoire, je me souvins tout à coup que la princesse, au cours de notre lune de miel, m'avait parlé d'un monsieur Maughan, avoué dans la ville basse. Je m'empressai de réparer mon oubli.

— Mon cher Maughan, il faut excuser les lacunes de mes souvenirs... Tant d'événements ont bouleversé ma vie... Maintenant, j'y suis... Vous êtes avoué à New York et madame Maughan fut l'hôte de Griselda dans les Adirondacks, au temps où ma femme s'appelait encore madame Turner...

— Très exact!... Tout à fait exact!... Vous voilà en pays de connaissance à présent.

L'excellent monsieur Maughan me tapa cordialement sur l'épaule et me secoua la main avec une vigueur communicative. Cependant sa femme réfléchissait. Soudain, elle me prit non moins familièrement par le bras, et, très décidée, elle dit :

— Mon cher prince, suivez-nous...

— Où donc?

— À bord.

Monsieur Maughan eut un mouvement de surprise. Sa femme l'apaisa du geste :

— Laissez-moi faire, Willy... Je prends tout sous mon bonnet... Le prince Séliman va nous accorder la faveur d'accepter une tasse de thé sur le pont du *Northern Star*.

J'aurais eu mauvaise grâce à décliner une invitation aussi cordiale. Je sautai dans le canot à la suite de madame Maughan et le petit moteur ronfla. Pourtant, j'eus un scrupule et me tournant vers la dame en rose :

— Vous ne croyez pas, chère madame Maughan, que c'est un peu cavalier de ma part d'accepter de monter à bord de ce yacht? Quel est le nom de son propriétaire?

— Chut! fit l'Américaine, énigmatique. N'ayez aucune inquiétude... C'est un de nos amis. D'ailleurs, la politesse des mers n'exige-t-elle pas qu'on recueille les naufragés qu'on rencontre?

La formule de madame Maughan me parut charmante et je m'inclinai. Nous accostâmes. Un marin nous hissa sur la coupée. J'admirai la belle tenue de ce yacht, paré comme pour une revue navale, avec ses cuivres étincelants et ses superstructures d'acajou verni. Monsieur Maughan m'entraîna vers le tillac arrière où la table à thé était déjà dressée, tandis que sa femme disparaissait en annonçant :

— Je vais vous présenter le maître du navire.

Monsieur Maughan m'offrit un rocking-chair et un cigare. Des mouettes virevoltaient autour du yacht comme une poignée d'accents circonflexes blancs jetés dans la brise. Là-bas, sur le fond gris des monts d'Anatolie, la silhouette du bateau-citerne se profilait, sombre et fumeuse... En quelques instants, j'étais passé du *Djoulfa* sur le *Northern Star*... Du cargo sale sur le steamer de luxe... N'était-ce pas là le symbole de ma vie aventureuse ? Le roman de mon passé se déroula rapidement sur l'écran de mes souvenirs... Je me revis, gentilhomme ruiné, disant adieu à Paris... J'évoquai le pont des émigrants sur le transatlantique, le miracle de ma bonne fortune à New York, ma conquête de la belle madame Griselda Turner, mon adoption par le vieux prince Séliman à Vienne, ma folie avec Evelyn, le drame de Palm Beach, mes adieux à Griselda, ma vie de bohème à Londres, mon association avec Lady Diana... Et maintenant ma course vers l'inconnu, au Caucase, interrompue par un intermède énigmatique sur un yacht dont le propriétaire allait m'apparaître...

J'entendis tout à coup la voix de madame Maughan qui disait :

— Venez... Venez... Nous avons rencontré un charmant garçon sur le quai de Trébizonde... Vous serez ravie de le voir.

Je me retournai. Et brusquement, je me levai, très pâle, le cœur battant... Griselda était là.

10

Griselda aussi avait pâli. Mais elle s'était res-
saisie. Quelle indicible émotion me gagnait... Je
contemplais son petit nez aquilin et ses lèvres
sans fard et ses prunelles d'aigue-marine et la
peau de ses bras nus, un peu brunie par les
soleils méditerranéens.

Monsieur et madame Maughan s'étaient discrètement retirés. Griselda s'assit en face de moi
dans un grand fauteuil d'osier et me demanda
avec une politesse indifférente qui me décontenança :

— Qu'est-ce que vous faites donc par ici, mon
cher ?... Je vous croyais toujours à Londres.

Je lui contai brièvement mon emploi du temps
depuis mon départ de New York. Elle m'écouta
sans paraître prendre un intérêt très vif à mes
hauts faits ; puis elle conclut :

— En somme, vous voilà devenu le chevalier
servant de Lady Diana Wynham ?

— Je m'efforce du moins de lui rendre service.

— Vous avez raison, mon ami. Il serait peu

digne du prince Séliman qu'il acceptât les faveurs de la Madone des Sleepings sans rien lui donner en échange.

— Vous vous trompez, Griselda... Lady Wynham n'est pas et ne sera jamais ma maîtresse...

La princesse parut ne point mettre en doute mon affirmation. Elle eut un sourire teinté de moquerie et remarqua :

— Décidément, vous êtes le plus curieux garçon que je connaisse... Il y a en vous du paladin et du jobard, si vous me permettez de vous le dire... Chevalier à midi... Bouffon à minuit... Vous excellez dans tous les emplois !... Vous voilà remuant ciel et terre pour les beaux yeux d'une femme qui n'est même pas la vôtre... Ce n'est pas logique.

— Il est parfois piquant, Griselda, de bafouer la logique, cette vieille fille anguleuse aux hanches plates... Mais vous oubliez que le déséquilibre de ma conduite est un peu votre œuvre.

— Oh !

— Si. Vous avez été impitoyable envers moi... Je suis parti d'Amérique avec la vision mélancolique du lac Placid, un après-midi d'avril... Avez-vous donc oublié votre geste ?... Ma dernière lettre déchirée par vous en petits morceaux qui s'éparpillèrent au gré du vent... Ma pauvre lettre mutilée qui signifiait la mort de mon espoir ?... C'est une âme en peine que vous avez laissée partir à la dérive, une âme désemparée... Mes appels étant demeurés sans réponse, le hasard de mes pas m'a conduit à Londres...

Désœuvré, j'ai accepté de devenir le secrétaire, le conseiller, le mentor même d'une grande dame du Smart Set... Vous me direz qu'il y a des occupations plus dignes d'un homme de mon rang ? Sans doute... Mais il ne fallait pas tuer en moi la volonté qui nous élève et nous incite à créer de grandes choses ou à viser des buts plus nobles. Naturaliste errant, je me suis amusé à observer la société britannique dans le miroir déformant d'une aristocrate sans préjugés... Bercé dans son sillage sur l'océan du snobisme, je n'avais qu'un désir : passer le temps pour attendre que le destin daignât nous remettre en présence... Mon vœu est exaucé... Je vous ai retrouvée Griselda, plus séduisante que jamais et cela m'émeut terriblement...

Je me tus. Je regardai Griselda impénétrable et j'ajoutai, plus bas :

— Il y a juste deux ans, nous connaissions notre premier frisson dans la splendeur embaumée de votre *roof-garden* fleuri, sous la complicité d'une nuit de juin aphrodisiaque et tiède... Souvenez-vous !

Insensiblement, je m'étais rapproché d'elle. Je la contemplais de plus près. Elle était songeuse dans son fauteuil. Autour de sa tête penchée, il y avait le ciel bleu d'outre-mer, le ciel rayé de temps en temps par le vol capricieux des mouettes. La mer tranquille léchait les flancs du yacht avec un clapotis nonchalant. Là-bas, le matelot de service sur le canot amarré sifflotait un vieux *rag* américain dont les motifs se perdaient dans la brise. Une grue lointaine qui haletait sur le quai plongeait sa main d'acier dans le giron d'un cargo.

— Gérard, dit enfin Griselda, il ne faut pas évoquer un passé qui est mort... Il vaut mieux me laisser poursuivre ma route. Elle a croisé la vôtre, par hasard. Vous voyez que je n'ai pas cherché à vous fuir. Ne m'en demandez pas plus. J'aurais pu dire à Ruth que je me refusais absolument à vous recevoir à mon bord. Je ne l'ai pas fait, parce que cette rigueur eût dépassé la mesure. Je ne vous en veux plus d'avoir tenté de me tromper avec ma belle-fille. Le temps guérit les blessures et l'éloignement apaise les chagrins d'amour... Vous avez péché par inconstance. Je vous le pardonne... Mieux que cela : je vous juge encore digne de mon amitié, parce que vous êtes un honnête homme et que rien dans votre vie n'a jamais terni votre réputation... Et puis vous avez eu un geste qui m'a trop touchée pour que je ne vous en exprime pas à présent ma profonde gratitude.

— Quel geste ?

— Quand mon avoué vous a proposé que nous divorcions... Il vous a offert une grosse somme de ma part pour que, la séparation prononcée, vous m'autorisiez quand même à porter votre titre... En refusant le divorce et l'argent, vous avez regagné mon estime.

— Griselda !... Pouviez-vous supposer que je vous vendrais une couronne que je vous avais déjà donnée par amour ?

— D'autres l'auraient fait.

— Ceux-là eussent été indignes de vous... Mais moi?

Le visage de Griselda, d'abord indifférent s'était animé peu à peu. Je la sentais moins hostile. Je lui pris la main.

— *Honey*... je vous aime toujours... Mon cœur est resté contre le vôtre et ce n'est qu'un mannequin que vous avez renvoyé en Europe... Votre amitié c'est bien, mais je désire davantage... Ce que je veux reprendre, c'est la Griselda que j'ai connue, un beau soir, à New York, blottie tout près de moi et dont je sentais le pouls s'accélérer entre les anneaux du serpent de perles roses qui rampait autour de son poignet... C'est la Griselda de l'île Sainte-Marguerite qui, les yeux mi-clos, écoutait monter les sérénades nocturnes et inhalait les rythmes en sourdine d'un Hongrois nostalgique... C'est cette Griselda-là que je veux reconquérir et dont j'attendrai le retour comme le navigateur perdu guette à l'horizon la voile libératrice.

Mais la princesse secoua la tête. Elle éloigna doucement ma main qui gagnait son bras nu et dit :

— Non, Gérard... Nous serons des amis... Nous resterons de grands amis... Ne tentez plus de me troubler en évoquant les belles heures de notre brève union... Continuez votre mission, puisque tel est votre devoir. Et laissez-moi aussi accomplir la mienne. Car mon voyage est moins une croisière d'agrément qu'un pèlerinage charitable. J'ai accepté de venir distribuer aux enfants pauvres les dons du Comité arménien-américain dont je suis la présidente. J'ai rejoint mon yacht à Marseille avec les Maughan et d'autres amis qui m'ont quittée à Constantinople. Je resterai deux ou trois semaines dans ces parages... Mes secours répartis, je retournerai vers la Côte d'Azur et ensuite, je ne sais plus... Il ne faut jamais rien projeter au-delà de quatre-vingt-dix jours... Quand vous dépassez ce délai, votre chèque sur l'avenir vous revient impayé.

Griselda s'était levée. Notre conversation intime était terminée. Elle appela Ruth Maughan qui sortait de sa cabine, fit servir le thé et me demanda en riant :

— Est-il vrai, mon cher, que vous êtes venu à Trébizonde sur cet affreux petit bateau que j'aperçois là-bas ?

— C'est exact... Un bateau-citerne... le *Djoulfa*.

— Un joli nom sur une vilaine coque, remarqua madame Maughan.

— Hélas, madame Maughan, il n'y a pas encore de bateaux fleuris qui relient les ports du Caucase à Monte-Carlo !

Le temps passa. Le thé coula. Monsieur Maughan parla des derniers scandales de Wall Street. Sa femme commenta le mariage de Dorothy Leewet, la danseuse du *Century*, avec un grand d'Espagne. À six heures, je me levai. Le canot du *Northern Star* devait me ramener à bord de mon cargo. En haut de la coupée, j'implorai encore

Griselda du regard. Elle me tendit la main franchement :

— Amis ?

Je ne bougeai pas. Elle répéta, la main
tendue :

— Voyons, Gérard... Vous faites fi de mon
amitié ?

Je protestai en portant vivement son poignet à
mes lèvres. Mais elle raidit son bras et insista :

— Non ! Non !... Une poignée de main... Bon
voyage, Gérard, et que Dieu vous protège. Si
vous n'avez rien de mieux à faire, dans trois
mois, à Paris ou à Londres, donnez-moi un petit
coup de téléphone... J'aurai alors décidé si vraiment nous divorçons ou si nous prolongeons le
statu quo d'une autre année.

Un quart d'heure plus tard, je grimpais à
l'échelle du cargo. Le petit canot mit le cap sur le
beau yacht blanc et je le regardai partir, hanté
par une irrépressible mélancolie, tandis que le
second du *Djoulfa*, penché sur une écoutille,
vomissait des injures mortelles à l'adresse d'un
soutier invisible.

∽

Le bateau-citerne vogue sur la mer enténébrée.
Enroulé dans ma couverture, seul sur le pont, je
confie ma mélancolie aux étoiles qui scintillent.
Aldébaran clignote, sceptique. Sirius, indifférent, me renvoie dans la rétine son point de vue
fallacieux et qui ce soir ne me consolera pas. Le

chariot de David, figé dans son ornière éthérée, se refuse à m'emporter vers le pays de l'Espoir. Je voudrais agripper la chevelure de Bérénice et m'arracher au présent pour savourer déjà les hors-d'œuvre du futur. Mais le deck du bateau-citerne est ma prison et Bételgeuse me nargue sur l'épaule droite d'Orion. Et l'hélice tourne. Et demain soir nous ferons escale à Batoum. J'oublierai mes préoccupations sentimentales en contemplant sur les voies ferrées les rames des wagons-foudres, saucisses boulonnées, farcies de naphte ; et monsieur Edwin Blankett chassera les évagations attendrissantes de mon cœur sensible à coups d'eversharp réitérés, devant l'habit d'arlequin d'une carte minéralogique.

Les heures passent. Ma pensée revient sans cesse vers le yacht, cygne blanc disparu à l'horizon de la mer Noire. Mes voisins dorment. Le second arpente la passerelle de commandement. L'écumoire de son visage grêlé m'apparaît de temps en temps dans la lueur verte du feu de tribord. Demain soir, je n'aurai plus le temps de rêver.

∽

À sept heures, au crépuscule, les premières lumières de Batoum apparurent. Je distinguai mal les abords enfumés du port. On s'agita à bord du *Djoulfa*. Le branle-bas d'accostage commença. Le sifflet d'une locomotive lointaine lança dans le vent du soir son hululement plaintif. Nous passâmes près d'un torpilleur de la flotte rouge, long cigare éteint, bagué aux armes des Soviets.

Je mis pied à terre, le passeport à la main. Deux individus dépourvus d'aménité scrutèrent les deux cachets, examinèrent à la loupe le filigrane du papier, se penchèrent sur les signatures, cependant qu'un autre homme à l'uniforme indescriptible auscultait ma valise devant un hangar mal éclairé.

Je m'étonnai que monsieur Edwin Blankett ne fût pas là pour m'accueillir. Je passai la nuit à l'hôtel et, m'étant enquis de l'heure des trains pour le petit port de Nikolaïa, je partis le lendemain à midi. J'arrivai à deux heures, après avoir voyagé entre deux nonnes du couvent de Sainte-Nino, deux nonnes vêtues de bure sombre et coiffées d'une sorte de chapeau haut-de-forme noir.

Monsieur Edwin Blankett m'attendait sans doute à l'hôtel Vokzal, en face de la gare. Le patron de cette modeste hôtellerie, un Gourien au visage pâle, au nez busqué, aux narines plates de tapir, me souhaita la bienvenue et sembla fort étonné qu'un touriste étranger vînt en ces temps troublés visiter sa bourgade. Monsieur Tzouloukidze – c'était le nom de ce cabaretier amène – comprenait heureusement l'allemand. Je lui déclarai aussitôt :

— Monsieur Edwin Blankett m'attend... Veuillez le prévenir.

— Quel nom avez-vous dit ?

— Monsieur Edwin Blankett.

La surprise de l'hôtelier me parut de mauvais augure. J'insistai :

— Vous ne logez pas un ingénieur anglais, nommé Blankett ?

— Non monsieur.

— Ce nom vous est totalement inconnu ?

— Totalement.

Déconcerté à mon tour, je considérai monsieur Tzouloukidze.

— Ce n'est pas possible ! m'écriai-je. J'ai reçu un télégramme à Berlin, il y a huit jours, expédié de Nikolaïa par monsieur Blankett, ingénieur-conseil de la nouvelle Compagnie des pétroles de Telav... Il habitait ici, il y a huit jours... Serait-il déjà parti pour Telav ?

— Je vous demande pardon, monsieur. Mais ce voyageur anglais n'est jamais descendu chez moi.

La sincérité de l'homme me semblait évidente. Ma stupéfaction n'en était que plus grande.

— Pourtant, ajoutai-je, j'ai adressé à monsieur Blankett, il y a quatre jours, un télégramme de Constantinople... Vous l'avez reçu ?

— Oui, monsieur... Je l'avais même conservé, pensant qu'un voyageur de ce nom viendrait loger chez moi.

— Et où est-il, ce télégramme ?

L'hôtelier ferma doucement la porte de son bureau, puis, baissant la voix, il me confia, non sans hésitation :

— Je l'ai remis à quelqu'un... hier soir.

— À qui ?

Monsieur Tzouloukidze parla plus bas encore et murmura, inquiet :

— À un agent de la police secrète.

Je manifestai mon étonnement par un haut-le-corps et protestai :

— Comment... Ils ont le droit, dans ce pays, de violer le secret des correspondances adressées à un sujet britannique ?

L'hôtelier soupira :

— Ah ! monsieur... Ils ont tous les droits... L'état de siège règne ici à l'état endémique... Il faut se soumettre... ou émigrer vers le Nouveau Monde... quand on le peut... On entre plus facilement ici qu'on en sort... Mais, monsieur, voulez-vous une chambre pour ce soir ?... Si votre ami est à Telav, il viendra sans doute vous chercher.

Je montai dans la modeste chambre que m'offrit l'hôtelier. Un lit de fer. Une icône multicolore. Une cuvette large comme un bol et une gravure jaunie de la cathédrale de Sion à Tiflis. Mais j'étais trop préoccupé pour m'intéresser à ce décor. L'absence de monsieur Blankett était la chose la plus inattendue du monde. Et la moins rassurante aussi. Car l'intérêt que la police secrète de Nikolaïa prenait à lire mes télégrammes me semblait insolite. Une heure durant, je fumai des cigarettes, devant ma valise entrouverte. Les avertissements de Klara me revenaient en mémoire. Ses alarmes étaient-elles vaines ? À présent, seul dans ce petit port de la côte cauca-sienne, soumis aux rigueurs de l'état de siège soviétique, perdu dans cet hôtel de la gare, loin de tout consulat étranger, j'avais l'impression déplaisante d'être debout sur une trappe qui commençait à fléchir. Dans quel piège allais-je tomber ?...

À sept heures du soir, je me ressaisis. Après tout, mes inquiétudes n'étaient peut-être pas justifiées. Un malentendu m'avait empêché de rencontrer monsieur Edwin Blankett. Je prendrais le train le lendemain pour Batoum, puis pour Telav et, là-bas, je n'aurais nulle peine à retrouver l'ingénieur de la compagnie anglo-américaine.

Je dînai dans la salle à manger de l'hôtel. À la table voisine de la mienne, deux officiers de cosaques en *tcherkerska* de drap noir prenaient leur repas et plaisantaient avec la servante aux yeux rieurs. Après le dîner, j'allai me promener du côté du port. Je croisai des gardes rouges désœuvrés qui flânaient près du môle et me lorgnaient avec curiosité. Vers neuf heures, je rentrai à l'hôtel. Monsieur Tzouloukidze m'offrit un petit verre de vodka et me demanda :

— Vous n'avez pas été suivi, au cours de votre promenade ?

— Non. Pourquoi ?

— Cela m'étonne.

Il hocha la tête. Je plaisantai :

— Allons, monsieur Tzouloukidze, le Roi des Montagnes s'est retiré après fortune faite. Vous voulez donner le frisson du danger aux touristes qui passent et pimenter leur séjour dans votre petite ville !

— Hélas, monsieur... On persécute tout le monde ci, même les Géorgiens de vieille souche. On emprisonne nos compatriotes hostiles au pouvoir bolchevique... Et savez-vous qui ordonne ces arrestations arbitraires et ces exécutions sans jugement ? Des bandits comme Cobichvili, de la Commission extraordinaire de Tiflis, ou Kavtaradze, le chef de la milice de Douchett...

— Mais moi... un étranger ?... Avec un passeport visé par Moscou ?

— Évidemment... Vous êtes tabou jusqu'à un certain point...

— Allons, monsieur Tzouloukidze !... Buvons à la santé de la Géorgie libre et indépendante.

— Chut !... Chut !... Si quelqu'un vous entendait !

Nous devisâmes plus avant. À dix heures, je rentrai dans ma chambre. Je me couchai et m'endormis.

À une heure et demie du matin, je fus réveillé par des pas précipités dans le couloir. Je dressai l'oreille. On chuchotait derrière ma porte. Un rai de lumière brilla entre l'huis et le parquet. On frappa deux coups secs. Je criai :

— Qui est là ?

— *Tür auf !*...

J'avais reconnu la voix de mon hôtelier. Je me levai et tirai le verrou. Deux hommes, le revolver au côté, coiffés de la *papakha* d'astrakan, vêtus de la veste traditionnelle, avec l'étoile rouge bien apparente, firent irruption dans ma chambre. Monsieur Tzouloukidze les suivit. Il s'était habillé à la hâte pour recevoir les deux gardes rouges.

— Que me veulent ces messieurs ? dis-je ironiquement en les montrant du geste... Examiner mes bagages ? Voir mon passeport ?

L'hôtelier prit un air consterné et murmura :

— Ils ont un mandat d'arrêt.

J'allais protester. L'un des deux gardes rouges, le revolver à la main, s'approcha de moi et me montra un papier. Avec le canon de son arme, il me fit voir mon nom, écrit en grosses lettres.

— Prince Séliman... C'est vous ?

— Oui.

— Alors, suivez-nous.

Je ne pouvais qu'obéir. Je bouclai ma valise en hâte et me tournai vers l'hôtelier.

— Qu'est-ce que ça signifie ? fis-je à mi-voix.

Il répondit, sur le même ton :

— *Tchéka...*

Je fus alors complètement édifié. Un frisson de peur courut entre mes épaules.

11

Dans le vestibule de l'hôtel Vokzal, je demandai à chacun de mes deux gardes rouges s'il parlait allemand, français ou anglais. Le plus petit
des deux, au profil de taupe, aux sclérotiques
zébrées de fibrilles de sang, daigna me répondre
avec un accent indescriptible :

— Voui... je parle un peu frrrançaise...

— Alors, mon ami, dites-moi où vous m'em-
menez de ce pas ?

Je lui offris une cigarette à bout doré. Il
en accepta une. Son camarade, un butor au
faciès polyédrique, au nez cassé, aux pommettes
saillantes, tendit sa main velue vers mon étui,
s'empara des onze cigarettes qui restaient et les
glissa sans rien dire dans la poche de sa veste de
cuir. Je plaisantai :

— Je vois que votre compagnon pratique la
reprise individuelle.

La taupe eut un geste évasif et badina :

— Commounisme, n'est-ce pas ?

— Mais où allons-nous en somme ?

— Au comité de surveillance de Nikolaïa.

Je baissai la voix, car j'avais déjà peur de prononcer le nom maudit et murmurai :

— À la Tchéka ?

— Voui, bien sûr.

— Suis-je donc suspect ?

— S'il vous plaît ?

— Que me veut-on, à la Tchéka ?

La taupe eut un sourire sardonique. Elle me considéra avec commisération. Elle semblait dire : Pauvre innocent ! Comme si l'on pouvait jamais savoir ce que la Tchéka vous veut ! Mais ce court colloque avait impatienté le géant roux. Il envoya un coup de botte dans ma valise, me fit signe de la porter et grogna quelques mots à l'adresse de son compagnon.

— Il faut aller, camarade.

Nous allâmes dans la nuit fraîche. Promenade lugubre entre la taupe et le butor, à travers la bourgade mal éclairée. Le courant alternatif de l'inquiétude et de la sérénité traversait mon cerveau. Je pensais que mon passeport signé par Varichkine, contresigné par les augures de Moscou, m'aiderait à apaiser les soupçons. On me relâcherait sans doute dans la journée et j'en serais quitte pour vivre pendant quelques heures la vie des prisonniers politiques.

Nous franchîmes un préau d'école. Un garde rouge, figé sous une lanterne, nous regarda passer, indifférent. Nous pénétrâmes dans un couloir et nous fîmes halte devant une porte grise.

— C'est ici... dit la taupe. On va descendre... Les cellules sont dans la cave...

— Est-ce qu'un camarade commissaire ne pourrait pas examiner mon cas à présent?

— Non. Demain à midi... Ouvrez déjà le bagage...

Le garde rouge de faction sous la lanterne s'approcha à son tour, alléché par cet ordre. Il fut suivi de deux autres gaillards qui venaient de se réveiller. Ils étaient cinq, vêtus de noir, autour de ma valise ouverte. Cinq cormorans sur la grève, prêts à se disputer les entrailles d'un congre abandonné. Le butor me fouilla le premier. La taupe dit :

— Pas de revolver?

— Aucune arme.

Mon portefeuille disparut dans les pattes du butor. Ma montre sembla plaire à la taupe qui, sournoisement, m'expliqua :

— Vous n'aurez pas besoin de savoir quelle heure il est ici... Je vous la rendrai si vous sortez... Voui, n'est-ce pas?

Le premier cormoran happa une chemise. Le second s'appropria une paire de souliers jaunes. Un troisième avisa une bouteille d'eau de Cologne et me demanda simplement :

— Vodka?

— Non, fis-je. *Parfoum...*

— Ah!

Il sembla désappointé. Alors, outre la bouteille, il escamota mon rasoir et un savon. Je me hâtai d'en rire et priai la taupe de demander aux cormorans si leurs Excellences désiraient autre chose. Mon truchement obéit. Les pillards

205

s'esclaffèrent. Seul le butor ne sourcilla pas. Il se pencha vers mon gilet et enleva prestement la perle de ma cravate. Je voulus m'y opposer. Sa main sur la crosse de son revolver me fit comprendre l'inutilité de mes protestations. Il ouvrit la porte et me montra l'escalier de la cave. Une senteur asphyxiante, une touffeur d'épidermes sales monta jusqu'à moi. Je passai devant deux portes cadenassées, entre un jeu d'orgues de ronflements sourds et arythmiques. Le geôlier à l'étoile rouge accroupi dans le couloir sur la terre battue, le revolver nu contre le flanc, se leva en maugréant. On me poussa dans une cellule et on lança ma valise vide dans un coin. La porte fut soigneusement verrouillée de l'extérieur. Des pas s'éloignèrent. Un rire gras s'éteignit dans l'escalier. Ma captivité commençait.

∽

L'atmosphère était suffocante. L'odeur des chambrées dans les casernes de France eût semblé le plus doux parfum d'Arabie, comparée à ces lourdes émanations. L'aigreur du lait tourné se mêlait à la sueur, à la crasse, au cuir sale, aux aliments moisis. La lumière diffuse de la lanterne dans le couloir pénétrait à peine par la claire-voie de la porte. Mes yeux s'accoutumèrent à la demi-obscurité. Je tâtai les couvertures sur la couchette exiguë et, à ma grande surprise, je découvris un corps... Un homme dormait recroquevillé... Un homme en jaquette usa-

206

gée, sans col, ni souliers... Je le regardai. Des longs cheveux noirs sur un visage pâle et inoffensif d'intellectuel. Des doigts longs et fins. Un artiste, peut-être ? Il eut un geste saccadé, un geste de crainte et se dressa brusquement, les yeux hagards. Je lui fis comprendre que j'ignorais le russe. Alors, il respira et me répondit en allemand :

— Excusez-moi, camarade... J'ai eu peur... Quand on entre dans nos cellules, le spectre de l'angoisse se dresse devant nous... Mais je vois que la griffe de la Tchéka s'est refermée aussi sur vous... Le Destin vous aide !... Qui êtes-vous ? D'où venez-vous ?

Si ma présence paraissait une consolation à ce reclus, la présence de ce malheureux ne me semblait pas moins désirable. Il m'aiderait à passer les quelques heures d'une captivité que je présumais courte. Je lui donnai quelques précisions et le questionnai à mon tour. Il se nommait Ivanof. Il était professeur de musique dans une institution privée de Moscou. Donc, un intellectuel, un paria du nouveau régime, un être superflu, destiné à être vaincu dans cette lutte inégale entre la main et le cerveau. Dès 1918, il avait été suspect aux camarades de la Commission extraordinaire chargée de combattre la contre-révolution. Le camarade Mindline, juge d'instruction, l'avait envoyé, sans autre motif, au n° 14 de la rue Grande-Loubianka, dans cette maison d'arrêt glaciale, dans cet antre de la Terreur, où les détenus vivaient sous l'horrible attente d'une exécution sans jugement; relâché huit mois après, il s'était rendu en Géorgie et avait presque oublié son calvaire, lorsque, six ans plus tard, on l'arrêtait de nouveau, au cours de la répression sanguinaire de l'insurrection géorgienne. Traîné de geôle en geôle, envoyé de cave en cellule, il échouait à Nikolaïa, accusé, sans preuves, d'avoir espionné les rouges au profit des insurgés.

— Ah! monsieur, gémit Ivanof, accroupi sous sa couverture, je vais revivre ici l'affreux cauchemar de la Loubianka. Pendant huit mois j'ai végété là-bas, dans un sous-sol, au milieu de détenus coupables du seul crime de ne pas admettre le régime des Soviets. Au milieu de figures terreuses, minées par les privations et la peur, au milieu de prisonniers hébétés, secoués de temps en temps par le frisson de la mort imminente... Ah! monsieur, Dieu veuille que vous ne connaissiez pas ici ces longues nuits d'insomnie, ces sommeils courts, agités, coupés de réveils brusques, ces journées de bête traquée où, le cerveau enfiévré, on brode des festons d'espoir sur la trame du futur... L'amour du soleil, le désir de vivre bouillonnent en vous et gonflent votre cœur... Vous voudriez que tout fût fini et pourtant vous espérez quand même... Mais une lourde porte s'ouvre à côté. Un appel retentit. C'est la Mort qui vient cueillir sa proie... Comme une pieuvre dont le tentacule aveugle fouillerait au hasard, dans les recoins des cellules, happerait celui-ci, épargnerait celui-là, sans raison... Ah!

Les évocations d'Ivanof dans ce clair-obscur sinistre m'ôtèrent l'envie de dormir. Il devait être environ trois heures du matin. J'avais froid dans mon pardessus.

— Je vois que vous n'êtes pas encore habitué à la fraîcheur des geôles russes, remarqua mon compagnon. Allongez-vous sur la couchette, à côté de moi. Nous nous réchaufferons réciproquement.

Je suivis ce conseil. Je me glissai sous la couverture sale et me tus, pour ne pas troubler le sommeil d'Ivanof. Mais le malheureux s'agitait à mon côté. Il était évident que ma présence le surexcitait.

— Ah! gémit-il, les dents serrées. Vous, un étranger, vous avez peut-être une chance de vous en tirer, mais moi!... Moi!...

Il crispa ses doigts maigres sur la couverture et ajouta, plus bas :

— Je venais de me fiancer quand ils m'ont arrêté... Et depuis quatre mois, je ne reçois aucune nouvelle d'Anna Feodorovna... Pauvre petite colombe blanche qui m'écrit sûrement et dont toutes les lettres sont interceptées par ces brutes...

Un chant, très atténué par les murailles, une sorte de chœur en sourdine parvint tout à coup jusqu'à nous. J'écoutai ces voix graves. Je me tournai vers Ivanof :

— Qu'est-ce que c'est ?

— La *Doubinouchka*... Le chant des *Bateliers de la Volga*... Vous connaissez sûrement.

— Et qui chante ainsi?

— Les gardes rouges, dans la cour... Avec *l'Internationale*, c'est tout leur répertoire.

Les variations mélancoliques du chant des *Bateliers de la Volga* me revenaient en mémoire. Je me souvenais d'avoir entendu cette mélodie populaire dans les cabarets russes de Londres ou de Paris, en croquant des amandes grillées, parmi les fleurs et les joyaux, entre des épaules nues et des sautoirs inestimables. Des snobs m'entouraient alors, aux plastrons emperlés, aux cigares trop bagués. Des femmes courbant leur tête alanguie, plissant leurs paupières mauves sur la lassitude de leurs prunelles, s'amusaient à frissonner sous l'étrangeté du leitmotiv. Des enfants gâtés, en somme, qui faisaient joujou avec la révolution russe. Des fillettes qui tremblaient gentiment aux échos lointains d'un croquemitaine écarlate.

Mais, cette nuit, le dilettantisme n'était plus de rigueur. Il ne s'agissait plus de flirter avec l'âme slave ni de savourer, la coupe en main, les nuances évocatrices d'un folklore hallucinant. Ce n'étaient point des émigrés consolés qui fredonnaient la *Doubinouchka*, devant une pianiste songeuse ou un joueur de balalaïka au front de satrape émasculé. C'étaient de vrais gardes rouges, agressifs, centurions hostiles aux détenus qu'ils surveillaient.

Le chant mourut dans la nuit. Le silence régna de nouveau. Mon compagnon commençait de s'assoupir quand des bruits de pas nous parvinrent. Brusquement, il se dressa à mon côté, l'oreille tendue, la mâchoire serrée. Je demandai :

— Qu'est-ce qui se passe ?

Il me fit signe de me taire et murmura, la gorge contractée :

— Où vont-ils ?

Les pas s'arrêtèrent au milieu du couloir. Le geôlier grommela. Ses clefs cliquetèrent. La porte d'une cellule grinça :

— Ils entrent à côté, chuchota Ivanof.

Il s'était levé prestement et pour mieux entendre il avait collé son oreille contre la fente, entre le mur et lui. Nous écoutâmes de toutes nos forces. On s'agita dans la cellule voisine. Une voix rude articula très distinctement :

— *Sveschtami po gorodou !...*

J'avais appris, au cours de mon dîner avec l'hôtelier, le sens de cette phrase fatidique : « Vos affaires pour aller en ville ! » C'est l'horrible euphémisme qu'on adresse aux condamnés qui vont être exécutés. Les caves de la Loubianka, à Moscou, les cellules de la Gorokhovaïa et les souterrains de la forteresse Pierre et Paul, à Petrograd, retentiront pendant les siècles à venir de la sinistre formule...

Un hurlement indicible retentit. Je me levai à mon tour le front et les mains moites. Je me rapprochai d'Ivanof qui me saisit le poignet. J'entendis un branle-bas étouffé dans l'autre cellule. Je demandai :

— Combien sont-ils à côté ?

— Six... Ce doit être Gouritzki qu'on emmène...
Pauvre garçon.

— Qu'est-ce qu'il a fait?

— Ils l'ont accusé d'avoir tenté d'empoisonner
les conduites d'eau de Batoum pour faire mourir
les soldats de l'Armée rouge... Quelle stupidité!
Gouritzki, un instituteur pacifique... un petit
bonhomme qui ne pourrait même pas tuer un
lapin de chou... Chut! Écoutez...

Les geôliers s'impatientaient. J'entendis des
ordres brefs. Une voix blanche, haletante, sup-
pliante, répondit... Celle de Gouritzki, sans
doute. Il y eut un bruit de lutte, des gémisse-
ments. Il me sembla qu'on traînait un corps
rebelle sur la terre du couloir. Ivanof me glissa :

— Ils l'emportent pour le livrer au bourreau...
Il se débat... Tenez! Qu'est-ce que je vous disais!...

Le ronflement d'un moteur retentit dans la
cour de l'école.

— Eh bien?... On va le transporter en auto?

— Non... C'est un camion... Ils mettent le
moteur en marche pour qu'on n'entende pas les
coups de revolver...

Alors, accroupis devant la fente de la lourde
porte, Ivanof et moi nous attendîmes la mort
du malheureux, le cœur battant, les dents serrées, le cerveau bourdonnant d'angoisse. Le
moteur tournait toujours. Soudain, mon compagnon m'étreignit à bras-le-corps. Trois détona-
tions sourdes étaient parvenues jusqu'à nous,
malgré le vrombissement des quatre cylindres.

— Oh ! c'est fini, murmura Ivanof.

Il eut un hoquet et il ajouta :

— Demain soir, ce sera peut-être mon tour...

❧

À dix heures du matin, le geôlier entra dans notre cellule avec un grand bol plein de soupe au millet et deux tranches de pain noir. Quelques lambeaux de harengs fumés trempaient dans la soupe. Je priai Ivanof de demander au geôlier si les tchékistes allaient bientôt éclaircir mon cas. Le geôlier répliqua, avec une énergie féroce :

— Son Excellence a le temps d'attendre...

Et il verrouilla de nouveau la porte.

L'après-midi passa. Puis la nuit vint. Cette incarcération sans motif mettait ma patience à une rude épreuve. J'allais et venais comme un fauve dans une trappe, tandis qu'Ivanof, allongé sur la couchette, me regardait, résigné. Il dit :

— Moi aussi, au commencement, j'ai fait comme vous. J'étais outré. Je criais, le nez contre le chêne de la porte... Et puis, je me suis calmé. J'ai cessé de rebondir d'un mur contre l'autre... Le pendule n'a plus balancé... D'ici à trois semaines ou un mois, vous aurez, vous aussi, atteint le point mort...

— Trois semaines ou un mois ! Mais vous plaisantez...

— Hélas... Vous verrez... Notre nirvana, à nous autres, c'est l'insensibilité du sommeil sur la couchette dure, sous la couverture trouée... Dormir...

213

Rêver peut-être, dit Hamlet dans son soliloque. Si Shakespeare avait connu le bolchevisme, quel chef-d'œuvre il eût écrit en trempant sa plume dans la pourriture et le sang...

Ma deuxième nuit fut mauvaise. Les paroles d'Ivanof hantaient mon cerveau. Mon impuissance m'exaspérait. Vers quatre heures du matin, exténué, je me glissai enfin sous la couverture de mon compagnon et m'endormis.

Combien de temps avais-je sommeillé, je ne le sais ? Mais, tout à coup, je sentis la main d'Ivanof qui, discrètement, me frappait l'épaule. J'ouvris les paupières. Ivanof, sans bouger, le nez sous la couverture, murmura dans mon oreille :

— Ne faites pas un geste... Affectez de dormir encore. Quelqu'un nous regarde à travers le judas de la porte.

— Le geôlier ?

— Je ne sais pas... Essayez de voir sans trop remuer.

Lentement, progressivement, je dirigeai mon regard vers la porte. Deux yeux nous observaient derrière les fils de fer croisés. Plus lentement encore, je me retournai du côté d'Ivanof et fis très bas :

— Un tchékiste nous observe ?

Le déclic de la trappe du judas nous apprit que l'observateur mystérieux avait disparu. Ivanof abaissa la couverture et parla plus haut :

— Maintenant, nous pouvons bouger... On est parti.

— Vous savez qui c'est ?

214

— Je n'ai pas reconnu en tout cas les gros sourcils blonds du geôlier de service dans le corridor...

— Alors ?

— Vous n'avez pas eu l'impression que c'étaient... les yeux d'une femme ?

— Je les ai regardés plus longtemps que vous... J'en suis presque sûr.

— Mais quelle femme aurait accès au couloir de ce sous-sol ?

Ivanof hésita, puis il conclut, en hochant la tête :

— Ma foi... C'est sans doute la dulcinée d'un garde rouge ? Quand on n'a pas de cinéma, on distrait sa bonne amie comme on peut.

12

Éaque, Minos et Rhadamante, étoilés de drap rouge et armés de revolvers Colt, fournis naguère aux armées russes par le War Office anglais. Les tchékistes scrutaient mes papiers. Des sourcils froncés sur les segments huileux de trois nez en bec d'aigle.

Après trois nuits d'attente, les commissaires de la Tchéka avaient daigné examiner mon cas. Le geôlier taroupé de poils blonds m'avait extrait de la cave pour me conduire au rez-de-chaussée dans une des salles de l'école municipale de Nikolaïa. Assis sur un banc, devant un pupitre de bois noir, j'observais mes inquisiteurs. J'étais las, mécontent, inquiet, sale. Ma barbe de quatre jours poussait drue et mon col de soie poussiéreux prenait une teinte isabelle sur ma cravate fripée.

L'un des trois tchékistes qui se nommait Chapinski et parlait d'ailleurs le français avec une aisance déconcertante, agita mon passeport après avoir plaisanté avec ses acolytes. Il me dit, narquois :

— Félicitations, prince Séliman... Vous aviez pris vos précautions... Tout à fait en règle ces papiers... Il n'y manque pas une signature !

Le ton du tchékiste m'exaspéra :

— Alors ? Pourquoi cette arrestation injustifiée, s'il vous plaît ?... Je suis un ami personnel du camarade Varichkine, délégué des Soviets à Berlin ; je suis venu ici sous sa sauvegarde et je vous préviens que si vous ne me remettez pas en liberté sur-le-champ, il se chargera de vous donner de ses nouvelles par l'intermédiaire de vos chefs à Moscou.

Le tchékiste traduisit obligeamment ma réponse et l'hilarité des autres redoubla. Un glas de cloches fêlées qui me donna le frisson. Ils échangèrent quelques paroles et sortirent. Je restai seul avec Chapinski.

Il était assis derrière la chaire de l'instituteur. Devant la porte vitrée de la salle, un garde rouge veillait. Dans un coin, sous le tableau noir, il y avait une vieille mappemonde, deux mitrailleuses démontées, un amas de fusils et des grenades à main, en tas. Chapinski me considéra curieusement. Un grand garçon d'une trentaine d'années, mince comme Nijinski, bien sanglé dans sa veste de cuir, un Slave au nez busqué, aux yeux obliques, aux épaules voûtées, et dont les mains n'étaient ni calleuses ni déformées.

Avec un coup d'œil assez méprisant vers les deux camarades qui venaient de sortir, il commença, cynique :

— Maintenant que ces têtes de pipe sont parties, causons.

Impatienté, je me levai et répliquai :

— Voici quatre jours qu'on me garde ici sans motif... C'est un abus intolérable. Je vous prie une dernière fois de me conduire auprès du camarade qui commande la police à Nikolaïa.

Chapinski s'inclina, moqueur, derrière son bureau :

— C'est moi, monseigneur...

— Alors, qui fait ici fonction de juge d'instruction ?

— C'est moi, Altesse Sérénissime...

Je haussai les épaules :

— Un juge d'instruction qui interroge les prévenus avec un revolver chargé à portée de la main... sur sa table !

— Vous vous trompez. Il n'est pas chargé... Voyez...

— Alors, c'est un épouvantail ?

— Non : un piège pour les contre-révolutionnaires... Le prévenu trop rusé profite parfois d'un moment d'inattention de ma part, saisit ce colt et veut tirer sur moi. Je souris en face du canon inoffensif ; je prends dans ma poche ce browning chargé, et je rends sa politesse au prévenu qui expie sur-le-champ sa tentative de meurtre... Vous comprenez ? Le petit jeu est amusant. J'ai déjà quatre Géorgiens au tableau... Si le cœur vous en dit, illustrissime étranger ?

Le sourire sardonique de Chapinski était exaspérant. Sa main fine, parée d'une bague volée, une chevalière de platine aux armes d'un membre de la famille impériale, sa main de révolutionnaire qui n'a jamais manié ni la faucille ni le marteau, caressait la crosse du revolver, comme la dextre d'un dilettante palpe les contours d'une statuette chryséléphantine.

— Vous croyez me faire avouer des crimes imaginaires en me menaçant de mort ? dis-je enfin... Vous vous trompez, camarade ! L'Inquisition n'est plus et les albigeois n'avaient pas de chemises de soie, coupées par un chemisier de Regent Street...

— En effet... La chemise de soie est l'uniforme des capitalistes.

— Comme l'incompréhension des nécessités économiques est l'uniforme des communistes.

— Prince, laissons les généralités au vestiaire, s'il vous plaît ! La dame du lavabo vous rendra vos truismes quand vous sortirez d'ici... En admettant que vous en sortiez... Si nous sommes bien renseignés, vous êtes venu en Géorgie pour le compte d'un consortium anglo-américain qui désire exploiter les pétroles de Telav.

— Oui... Avec l'assentiment de Moscou... Si donc vous ne me remettez pas en liberté, je télégraphierai à Berlin et je...

— Vous ne télégraphierez pas, parce que nous avons l'ordre de vous tenir au secret.

— De qui vient cet ordre ?

— De Moscou.

— C'est impossible.

Il me tendit un télégramme.

— Je ne comprends pas le russe.

— Alors, je vais traduire fidèlement : « Ordre au commissaire de la Tchéka de Nikolaïa d'arrêter le prince Séliman dès son arrivée en territoire géorgien. Il débarquera à Batoum et descendra à l'hôtel Vokzal à Nikolaïa. Le mettre au secret jusqu'à l'arrivée du 17 qui sera muni de pleins pouvoirs du comité exécutif pour donner à cette détention les suites qu'elle comporte. Signé : Leonof. »

Le tchékiste glissa le message sous d'autres papiers, me regarda avec un air de commisération burlesque et fit :

— Voilà !

— Alors vous m'interdisez de communiquer avec le monde extérieur jusqu'à l'arrivée du 17 ?

— Eh oui ! La consigne est formelle.

— Qui est le 17 ?

— Vous m'offririez une fortune que je ne pourrais pas satisfaire votre curiosité.

— Un délégué de Moscou ?... Un membre de la commission extraordinaire ?

— Peut-être.

— Pourquoi ce numéro ?

— Nous ne les connaissons pas autrement. En tout cas, je puis vous dire qu'un numéro de deux chiffres seulement signifie qu'il s'agit d'un camarade haut placé.

— Il y a donc dans votre Union des Soviets égalitaires des camarades haut placés ? Voilà qui est plutôt réactionnaire...

Chapinski eut un geste vague.

— Les moutons ont des bergers. En tout cas, vous devriez être flatté qu'un camarade vînt de Moscou dans le seul dessein de vous interroger... et de décider de votre sort... Mais nous n'avons plus rien à nous dire, noble voyageur. Je vais vous faire reconduire à votre cellule... Vous en sortirez quand le 17 sera arrivé.

Le tchékiste agita une sonnette, donna un ordre au garde rouge et me regarda sortir avec un plissement des paupières qui n'était pas de bon augure. Je rentrai dans ma geôle. Mon compagnon d'infortune n'était pas là. Il faisait avec les autres détenus une heure de promenade dans la cour de l'école, sous la surveillance des gardes. Je profitai de ce que j'étais seul pour prendre certaines précautions. J'avais réussi à sauver de la fouille dix billets de cent dollars que j'avais dissimulés autour de mes chevilles, entre la peau et la chaussette. Je pensai que la cachette n'était pas sûre. Je glissai mes billets entre deux pavés et je les recouvris de poussière. Il était possible que cet argent me fût précieux plus tard.

Ivanof rentra. Son accablement m'affecta. Il se jeta sur sa couchette, comme un pauvre chien malade et me déclara d'une voix mal assurée :

— Je vous l'avais dit : c'est bien Gouritzki qu'on a fusillé l'autre nuit.

— Comment le savez-vous ?

— J'ai vu ses souliers aux pieds d'un des gardes rouges.

Ivanof toussa, d'une toux creuse qui résonnait

222

comme le *la* d'un violoncelle dans une barrique. Il ajouta :

— Ah! les vautours!... Ils nous dépouilleront tous!... On vous a interrogé, n'est-ce pas? Qui?

— Chapinski.

— Méfiez-vous de Chapinski... Il est faux, hypocrite et lâche... Un ancien journaliste réactionnaire qui, interné à la Tchéka de Kouban, s'est vivement converti et, pour conquérir la confiance des bonzes de la IIIᵉ Internationale, a vendu ses amis... Il a bien la tête de l'agent provocateur. Il glisserait des brochures compromettantes sous l'oreiller de son frère s'il fallait sauver sa propre peau... Je tiens ces détails d'un malheureux ami à moi qui fut interné à Ekaterinodar en 1921 et qui échappa par miracle à la folie et à la mort. On l'avait enfermé avec soixante-sept détenus dans un vaste souterrain que les bolcheviks nommaient le Vestibule de la Tombe... Vous allez voir si cette funèbre appellation était méritée! Un soir, vers sept heures, la lourde porte s'ouvrit et le commandant de la prison entra, suivi d'une section de gardiens, revolver au poing. Le commandant se tourna vers le *starosta,* le chef de chambrée, et lui demanda : « — Combien êtes-vous ici? — Soixante-sept. — Ah! vous n'êtes que soixante-sept? répondit le commandant avec une indifférence parfaite. La fosse est creusée pour quatre-vingts corps... C'est assez curieux. » Les malheureux sentirent les affres de l'angoisse tarauder leur cerveau. Le commandant les considéra tranquillement, tandis qu'un silence hallucinant planait sur les soixante-sept. Il se tourna enfin vers le chef de l'escorte et dit : « En tout cas, il nous en faut treize de plus... Veillez sur ceux-là. Je vais racler les fonds de cellules et j'arriverai bien à y trouver mon compte. » On ferma la porte. Les soixante-sept, plusieurs minutes durant, restèrent figés comme des statues. Tout à coup, l'un d'eux s'agenouilla et hurla des prières d'une voix de fausset ; il invoquait Dieu et mangeait de la poussière en même temps ; puis il éclata d'un rire inhumain, un rire de hyène dans la jungle africaine, et se mit à gambader, bousculant ses voisins... Il avait perdu la raison. Les heures passèrent dans la plus horrible expectative... Certains tentaient de se raccrocher à l'espoir. Les uns pensaient que le commandant ne trouverait pas les treize autres condamnés et que d'ici là un miracle surviendrait. Les autres pleuraient, accablés, anéantis. Cette attente dura deux jours. Puis on apprit que les treize avaient été exécutés les premiers... Pourquoi ? Nul n'en savait rien. Le troisième jour, les tchékistes envahirent la cellule. Leur chef portait une lanterne et une feuille de papier... Les détenus lurent avec terreur ces mots, écrits de biais, dans le coin gauche : « À fusiller. » Et, comble de la torture mentale, ils virent des noms qui, sur la liste, avaient été rayés à l'encre rouge... Lesquels ?... Le fou se jeta sur un tchékiste qui l'abattit sur-le-champ. Il remuait encore quand on jeta son corps dans le couloir. L'appel de mort commença... L'un des détenus, pour chasser l'affreuse anxiété qui menaçait sa raison, sifflait à tue-tête une vieille mazurka populaire... « Tiens ta gueule! ordonna le chef d'escorte. On n'entend rien ici... » L'appel continua. L'homme qui sifflait était avec trois autres détenus, parmi les rescapés de cette tuerie en masse. Quand il resta seul avec les trois prisonniers sauvés par miracle, il demanda d'un air hébété, les yeux fixes : « — Eh bien... Et moi?... Et vous?... On ne nous fusille pas? — Nous sommes graciés. » Il répéta le mot « gracié », porta les deux mains à sa gorge et tomba raide mort. La joie de vivre l'avait tué.

∽

L'après-midi passa. Le geôlier ouvrit la porte de notre cellule et nous apporta une jatte de soupe froide qui sentait le poisson pourri. Il fit signe à Ivanof et lui parla bas en russe. Ivanof se leva, effrayé.

— Qu'est-ce qu'on vous veut? demandai-je, inquiet pour ce compagnon dont j'appréciais déjà la société et la douce résignation.

— On me change de cellule... Il paraît que ce soir, vous devez être seul.

— Moi? Seul?... Pourquoi?...

Question oiseuse, à laquelle le geôlier eût été, lui aussi, incapable de répondre. Le geôlier me montra du doigt la jatte de grès, se frotta le ventre, ironiquement, puis, poussant Ivanof devant lui, il sortit.

J'étais seul. Une heure s'écoula. Las de chercher à comprendre pourquoi on m'avait enlevé mon camarade d'infortune, je m'étendis sur la couchette et tirai la couverture jusqu'au menton. Les yeux mi-clos, dans cet éclairage jaunâtre et mortuaire, j'eus le loisir de méditer. Mais les méditations d'un homme du monde dans une geôle bolchevique ne sont rien moins que gaies. Je dégustais mon passé à la cuiller lentement ; potion douce-amère qui me laissait l'affreux arrière-goût de l'incertitude. Des tableaux de ma première jeunesse alternaient avec les réminiscences libertines de ma dernière nuit au Péra Palace, dans les bras de cette Berlinoise aux yeux alanguis. J'avais, au cours de ma vie, connu le danger. Des balles avaient sifflé à mes oreilles pendant la guerre. Mais ces angoisses intermittentes, ces chapelets de petites peurs alternées ne ressemblaient en rien à cette ignorance de mon sort, qui durait depuis trois jours et demi... Ma vie tenait, fil ténu, entre les doigts rudes de ces tchékistes tout-puissants et irresponsables. Je pouvais être libéré le lendemain ou bien exécuté dans la nuit même. Ma disparition, connue enfin du monde civilisé, susciterait sans doute une note diplomatique. Les camarades de Moscou inventeraient les preuves d'une culpabilité plausible : contre-espionnage ou rixe nocturne. Le Quai d'Orsay protesterait pour la forme. Mais comme il ne faut faire aux Soviets nulle peine, même légère, on accepterait de vagues excuses et on classerait l'affaire. Avec une

226

étrange indifférence, j'imaginais déjà les événements qui suivraient ma mort. Je lisais mentalement les articles des grands journaux de Paris, de Londres et de New York. J'entendais les commentaires émus de Lady Diana, dans les salons de Park Lane :

— Un si cher garçon !... Quelle chose affreuse !... Il était allé là-bas pour moi... C'est une terrible erreur judiciaire et dont j'ai parlé au Foreign Office... Mais ces messieurs de Downing Street n'ont pas plus de cœur qu'une balle de golf... Ils m'ont dit qu'ils n'avaient pas de preuves formelles... Non, merci, Lady Chutney... pas de sucre... Oui, un peu de lait... Lord Edwin m'a téléphoné hier...

Et Griselda ? Ma très douce et très lointaine Griselda ? Ma femme... Ma bientôt veuve... À cette heure-ci, elle voguait sans doute à bord du *Northern Star,* au large des côtes d'Asie Mineure... Dans mon cœur serré, l'espoir vacillait comme une petite flamme agonisante, l'espoir qu'elle me regretterait quand même, l'espoir qu'elle aurait un peu le remords de ne point m'avoir ouvert les bras, sur le pont de son beau yacht blanc liséré de bleu et d'or... Chère Griselda, elle pleurerait sûrement mon assassinat. J'en étais certain. Je connaissais trop son cœur généreux pour douter de son attitude quand une dépêche lue dans le *New York Herald* lui annoncerait brutalement qu'elle serait désormais princesse Séliman pour la vie.

D'autres réminiscences surgirent dans mon

cerveau enfiévré. On eût dit que des trappes se soulevaient çà et là, laissant fuir une à une les colombes du souvenir, qui s'envolaient à tire-d'aile vers le désert sans fin de la mémoire des hommes... J'évoquais les choses les plus hétéro-clites... La silhouette d'une femme convoitée une heure alternait avec le décor du bar interlope où, un soir de spleen, j'avais grignoté les amandes salées de la désespérance. Puis tout à coup, un paysage ensoleillé illuminait mes paupières baissées, un paysage méditerranéen saturé de mimosas et de senteurs d'œillets, épanouis à l'ombre des pins qui filtraient la brise au rythme de leurs ramures. Puis, sans autre transition, je me revoyais sur la terrasse d'un hôtel d'Alger, submergé de clarté lunaire : mon rocking-chair balançait mon désir et ma main serrait en silence une petite main voisine au bout d'un bras nu, ceint d'un cabriolet de saphirs et de brillants...

J'avais fermé les yeux. Le pouls rapide, les tempes chaudes, je m'immobilisais sous ma cou-verture, mort-vivant dont la pensée vagabondait déjà sur la lisière de l'au-delà. Je me croyais déjà en terre, cadavre enseveli sous l'humus cauca-sien, oublié peu à peu de tous ceux qui m'avaient connu; oublié des femmes que j'avais possédées et qui en s'aiguisant les ongles me feraient l'obole d'une pensée fugitive; oublié des hommes que j'avais obligés; oublié des amis qui m'avaient aidé. Et devant cet oubli total, cet oubli inéluc-table, j'éprouvais le même vertige qu'on ressent à contempler par une nuit d'été les paillettes innombrables qui scintillent sur la robe de la Voie lactée. Il me semblait que l'insensibilité sublime du fakir en prière me gagnait et que mon moi dématérialisé rentrait dans l'orbe du plan astral quand le déclic du judas me fit tressaillir. Comme l'autre nuit, je ne bougeai pas. Entre mes cils mi-clos, je reconnus le même regard dans le rectangle de métal.

Pendant plusieurs minutes, les yeux m'observèrent. Puis le guichet se referma. Je maudis le curieux qui avait troublé le coma bienfaisant de ma pensée anesthésiée et j'allais me retourner sur ma couche pour ne plus être tenté de regarder la porte, quand des pas retentirent dans le couloir.

On chuchota. Je tournai la tête malgré que j'en eusse. La porte s'ouvrit. Le geôlier articula avec un accent indescriptible :

— Le numéro 17...

Il s'effaça sur le seuil de la cellule. Intrigué, cette fois, je me dressai sur le coude et j'attendis. Le 17 parut. C'était madame Irina Alexandrovna Mouravieff.

13

Je ne fus pas surpris outre mesure. J'avais flairé son intervention occulte, mais je ne croyais pas qu'elle viendrait en personne à Nikolaïa.

Elle était là, dans l'encadrement de la porte, éclairée de côté par la lanterne jaune. Elle me contemplait, impassible. Rien dans ses prunelles pâles ne décelait ses sentiments. Ses cheveux bruns, coupés, étaient emprisonnés sous une petite cloche noire, imperméable comme un suroît de pêcheur. Sa taille svelte était moulée dans une veste de cuir, munie de quatre poches. Une jupe courte de drap kaki, fort simple, tombait à mi-jambe et des bottes russes de cuir noir montaient jusqu'aux genoux. Ni boucles d'oreilles ni bijoux d'aucune sorte. L'égérie de Varichkine semblait incorruptible.

La présence de madame Mouravieff fut un stimulant pour moi. Une piqûre de strychnine n'eût pas chassé plus vite la torpeur qui m'envahissait. Mon amour-propre hérissa toutes ses plumes. Je ne voulus pas que cette Slave méprisante pût se vanter plus tard de m'avoir vu, suant de peur, terrassé par l'anxiété... Je rejetai ma couverture, je me levai d'un bond et m'inclinai avec un respect exagéré :

— Excusez-moi, madame... Si j'avais prévu cette visite, vous ne m'eussiez pas trouvé dans cette pose incorrecte.

Irina ne répondit rien. Elle congédia le geôlier d'un mot bref, avança d'un pas, ferma la porte derrière elle et dit enfin :

— Du panache, monsieur le camarade ?... Nous verrons si vous en aurez jusqu'au bout.

Cet exorde me fit tressaillir. Mais je me ressaisis aussitôt et badinai :

— Ainsi donc, vous êtes le numéro 17, madame ? Pseudonyme bien modeste pour une femme telle que vous !... J'attendais un révolutionnaire mal élevé, brutal, inculte et le hasard m'envoie une jolie Moscovite, intelligente et racée... L'adversaire est de choix... Je n'en demandais pas tant...

— Continuez, je vous prie...

— J'ai dit ce que je voulais dire, madame... À présent, je vous écoute.

Irina haussa les épaules. Elle s'assit sur l'escabeau de bois. Je m'assis sur le bord de ma couchette. Comme elle se taisait, je repris :

— Ma garçonnière est inconfortable, mais ce n'est pas ma faute.

— Cessez de plaisanter, Séliman. Je lis la peur en vous... Le masque tromperait une autre que moi... Mais moi, je sais que votre âme tremble... Vous n'êtes pas de la race de ceux qui meurent le sourire aux lèvres pour une grande cause... car votre cause n'est pas noble. On ne meurt pas avec sérénité pour du pétrole, pour un consortium de financiers, pour le caprice d'une Anglaise égoïste...

— Vous vous trompez, madame... Un gentleman peut regarder crânement la mort, ne serait-ce que pour vous donner une leçon.

— Une leçon de quoi ?

— De savoir-vivre.

Ma pirouette agaça ma visiteuse.

— Français ! fit-elle avec mépris.

Elle croisa ses jambes, entrouvrit sa veste de cuir et reprit :

— Ce hors-d'œuvre dégusté, parlons sérieusement... Vous devez être à peu près fixé maintenant sur l'enchaînement des faits qui vous ont conduit jusqu'ici.

— Dans le style mélodramatique, cela s'appelle un guet-apens, n'est-ce pas ?

— Le drame n'est-il pas la monnaie courante de la Russie depuis sept ans ? En tout cas, le télégramme signé par moi « Edwin Blankett » a eu les résultats que j'en attendais. Vous êtes venu : vous avez vu et vous êtes vaincu.

— Comment dites-vous : *vœ victis* en russe, madame ?

Irina ne répondit pas à ma question. Elle me regarda de la tête aux pieds :

— Si vos belles amies, vos jolies pintades fardées, emplumées et ruisselantes de joyaux vous voyaient, elles auraient pitié de vous... Bien que vous ne soyez pas très séduisant avec vos joues mal rasées et vos vêtements fripés...

Irina se leva et émit un petit rire acidulé :

— Où est le beau prince Séliman, l'élégant habitué des Ritz internationaux ? C'est le cas de dire sans ironie : la vie est une montagne russe, avec des hauts et des bas... Vous voilà suspendu au bord de l'abîme... Une chute à faire frissonner les petites madames du polo et du tir aux pigeons, n'est-ce pas ?

Elle poussa du bout de sa botte menue la jatte de soupe posée sur le sol et continua :

— Hier, belons, foie gras, soufflé, fine Napoléon... Aujourd'hui, soupe au millet, hareng fumé, eau sale... Excusez-nous, prince... Nous n'avons ni les maîtres queux de Sherry's ni les wagons spéciaux de Prunier... Du caviar ? Ah ! oui... Mais nous n'en nourrissons pas nos détenus ; nous le gardons pour l'échanger contre l'or des capitalistes. Ils mangent nos œufs de poisson pendant que nous menaçons la quiétude de leur digestion avec la monnaie qu'ils nous donnent. Caviar plus propagande égalent révolution mondiale.

Je m'étais levé à mon tour.

— M'en voulez-vous donc tellement, madame Mouravieff ?

— Vous m'avez apporté le malheur... Vous m'avez enlevé mon amant pour le jeter dans les bras d'une femme que je hais... Si ! Si ! Je suis exactement renseignée... Lady Diana a enjôlé Varichkine. Elle voulait sa concession de Telav. Pour mieux réussir, elle s'est offerte à lui... Puis, pour mieux me l'arracher, elle s'est refusée et a exigé qu'il l'épousât... Je sais tout cela... Dans un mois, ils se marieront, car je n'ai pas encore fait annuler la concession. Mais si Moscou, pour des raisons politiques, me refuse définitivement cette annulation, j'agirai... Ah! malgré mes avertissements, vous m'avez bravée? Vous expierez cette audace, prince Séliman, et vous apprendrez cruellement qu'on ne badine pas avec l'amour entre le Dniepr et l'Oural.

Elle fit deux pas vers la porte. Je m'avançai pour l'inviter à m'entendre plus avant. Elle dut se méprendre sur mon geste, car brusquement, le dos contre la porte, la main droite dans la poche de son vêtement de cuir, elle ordonna, sèchement :

— Ne m'approchez pas... la balle de mon browning traverserait mon manteau et abrégerait la représentation...

— Avez-vous pu croire que j'allais oublier la correction que l'on doit à une femme – même à une ennemie?

— Vous ne m'avez pas enseigné la confiance...

— Un mot seulement avant que vous ne sortiez, madame. Avez-vous pleins pouvoirs pour décider de mon sort?

— Absolument.

— Vous êtes mon juge suprême?

— Oui.

— Me direz-vous simplement quand vous prendrez la décision finale?

La main gauche sur le loquet de la porte, elle

eut un sourire méchant dans un regard de coquetterie féroce :

— Je ne peux pas vous le dire. Cette nuit peut-être ? À moins que ce ne soit dans quinze jours... ou davantage ?... Je vous ai observé à votre insu, par le judas de la porte ; je veux vous voir encore, un peu plus inquiet... un peu plus abattu... un peu plus sale... Je choisirai mon heure pour vous envoyer aux mines d'Altaï... À moins que je ne préfère le châtiment suprême... Je n'en sais rien moi-même... Vivre a si peu d'importance...

Irina fit volte-face. La petite jupe kaki disparut entre le mur et la porte. La dent pointue du verrou grinça dans la muraille humide. La solitude rôda de nouveau autour de moi ; la solitude, cette bulle de silence gonflée de tristesse.

∾

Je ne puis évoquer sans effroi les heures que je vécus dans ma geôle après la visite de madame Mouravieff. L'incertitude qui faisait tomber ses gouttes froides sur mon cœur à nu me faisait frissonner. Ma vie dépendait maintenant du caprice de cette femme. Paralysé entre ses griffes il ne me restait plus qu'à guetter dans ses prunelles ma grâce ou mon arrêt de mort.

J'essayai de mettre au ralenti mes pensées qui vrombissaient dans mon cerveau inquiet, de regagner peu à peu la bienfaisante insensibilité de naguère ; mais le regard bleu de la Moscovite au teint pâle s'insinuait comme une lame entre mes paupières closes. Irina n'était pas là. Et pourtant je sentais sa présence, auprès de ma couchette. Je la voyais sur l'escabeau de bois, hautaine et impénétrable. Je me souviens encore d'avoir poussé un « ah! » d'impatience et de révolte comme pour me libérer de cette emprise, un cri de bête traquée qui manifeste son impuissance. Je serrais les poings pour me donner l'illusion que je reprenais le contrôle de ma volonté. J'enfonçais mes ongles dans mes paumes ; je crispais mes maxillaires sous le trismus de l'entêtement ; je fronçais les sourcils... Et l'ombre d'Irina demeurait...

Des heures passèrent. La nuit était avancée. Une lumière fusa par le soupirail grillé de ma cellule. Des talons de bottes crissèrent sur les cailloux de la cour. Une porte gémit. J'aurais aimé qu'Ivanof fût là. Lui, au moins, il connaissait la signification de tous ces bruits. Il me les eût traduits en langage clair...

Soudain des pas précipités martelèrent le couloir. Une main brutale manipula de nouveau les verrous de ma porte. Mon geôlier parut, escorté d'un garde rouge que je n'avais jamais vu. Le colt au poing, le bonnet sur l'oreille, il lança la phrase fatale :

— *S veschtami po gorodou!*

« Vos affaires... pour aller en ville... » La sentence euphémique m'était jetée en plein visage par cette brute indifférente qui exécutait sa macabre corvée comme un sergent de garde réveille un de ses hommes pour lui indiquer l'heure de sa faction. Je chancelai sous le coup. Ma pensée anéantie ne tenta nulle réaction. Je me souviens que dans le naufrage de mon intelligence, une seule chose surnagea : la nécessité de ne pas trembler devant la femme qui me condamnait.

Je me levai, automate conscient. Je suivis le garde rouge. Le canon de son colt était pointé entre mes omoplates. L'homme me fit monter un escalier et traverser la cour de l'école. J'eus un dernier regard vers le ciel noir poudré de paillettes d'or et je descendis dans le sous-sol du bâtiment voisin. Au moment où je mettais le pied sur la dernière marche, j'entendis le moteur du camion qui commençait de ronfler. Alors je compris que je n'avais plus que deux ou trois minutes à vivre et l'éclair d'un dilemme traversa mon cerveau : Fallait-il me laisser exécuter comme un mouton à l'abattoir ou me jeter sur le garde rouge et mourir en combattant ? Étrange télépathie... La brute qui m'escortait dut deviner ma pensée, car le canon du revolver mit un point froid contre mon cou et un ordre bref, en russe, me laissa comprendre l'absurdité de ma rébellion.

Je pénétrai dans une sorte de hangar souterrain blanchi à la chaux, et brillamment éclairé par trois lampes à acétylène. Au fond, à droite, il y avait une caisse de sable, des taches brunes sur le mur et des flaques coagulées sur le sol. Mesmérisé par ce spectacle, je m'immobilisai dans une raideur anormale. Je ne pouvais détacher

mon regard de cette constellation de taches étoi-
lant la pâleur du mur, quand une voix de femme
me fit tressauter :

— Eh bien, prince Séliman ? Vous choisissez
votre décor ?

Je me retournai vivement. Irina était là. Le
garde rouge barrait la porte. La brusque détente
de mon orgueil déclencha tout à coup un sourire
sur mon visage et je répliquai :

— Madame, comme four crématoire, ce n'est
pas mal... Comme caveau caucasien, il y a
mieux.

— Avouez que vous avez peur, cette fois.

— Oui... J'ai peur d'éclabousser votre petite
robe kaki...

Irina me considéra avec plus de curiosité que
jamais. Elle voulait percer le masque et savoir si
vraiment l'affreuse sueur de l'angoisse mouillait
mes lombes. Elle épiait d'un regard inflexible les
manifestations de la crainte. On eût dit qu'une
jouissance étrange faisait vibrer ses nerfs et que
toute sa féminité en éveil palpitait secrètement
dans l'attente. Elle s'approcha encore. Son visage
s'arrêta à cinquante centimètres du mien, son
visage parafé d'une ironie sadique. Je sentais son
haleine parfumée de menthe. Ses yeux pâles,
raies lumineuses obturées de cils mi-clos, cherchaient l'iris de mes propres prunelles pour y
découvrir la dilatation de la peur...

Les mains derrière le dos, elle eut un petit rire
sec :

— Vous cachez bien votre appréhension,

prince Séliman... Je sais que votre cœur bat très vite... Les mouvements de votre veine jugulaire me le prouvent... Cependant vous gardez assez bonne contenance devant la mort... Le bourreau de la Tchéka va venir... Excusez-le s'il vous fait attendre...

Des pas se rapprochèrent. Malgré moi, je me tournai brusquement vers la porte. Un homme parut, suivi d'un autre homme. Alors Irina remarqua, le plus négligemment du monde :

— Allons... la comédie a assez duré... Vous ne mourrez pas encore ce soir. Vous verrez simplement comment nous nous débarrassons des contre-révolutionnaires... Asseyons-nous sur ce banc, prince Séliman... Ce ne sera d'ailleurs pas bien long...

∽

L'homme qui allait mourir était un Petit-Russien, mal bâti, aux yeux rouges, à la barbe broussailleuse. Il marchait devant le bourreau avec la raideur d'un jouet qu'on vient de remonter. Résigné, accablé par la fatalité, il allait au supplice sans protester... Était-il même encore conscient ? Avait-il encore la connaissance exacte du monde extérieur ? Je le regardais, maîtrisant avec peine ma respiration haletante. Après m'avoir placé devant le miroir de la mort, Irina brusquement m'infligeait le spectacle atroce d'une répétition privée... Je me demande aujourd'hui encore par quel miracle de volonté je pus supporter sans défaillir cette vision de cauchemar.

Tout à coup je tressautai. Irina, assise à côté de moi, me parlait à mi-voix. Elle commentait la chose, comme on apprécie au théâtre le jeu des interprètes :

— Le petit s'appelle Tchernicheff... Moscou a télégraphié son arrêt de mort cet après-midi... Un ancien volontaire de l'armée de Denikine... Pfffft ! Un excrément de la réaction.

Cependant, le bourreau avait amené sa victime entre le mur blanc et le panier de sable... Le tchékiste exécuteur des hautes œuvres était un ancien matelot de la flotte de la Baltique, un gaillard haut d'un mètre quatre-vingt-dix, avec un mufle de gorille lymphatique, blafard et taché de son, des oreilles plates et des mains semblables à des escalopes de veau. Il émit un commandement. Le condamné ne bougea pas. Pour la première fois, il semblait reprendre contact avec l'affreuse réalité. Les yeux exorbités, il nous regardait, Irina et moi, et j'eus l'horrible sensation que cet homme presque mort nous reprochait l'incongruité de notre présence.

Le commandement du bourreau retentit une seconde fois. L'homme ne bougea pas. Il bégayait quelque chose, à notre adresse. Sa voix rauque et tremblante me fit mal aux nerfs. Un coup de râpe sur une plaie vive. Le tchékiste se tourna vers Irina et échangea quelques mots avec elle. Irina s'amusa. Le bourreau s'esclaffa. Son rire de basson et le rire d'Irina, en pizzicati de harpe, mirent le comble à mon malaise physique. Ma voisine me prit à témoin de la drôlerie de la chose :

— Il ne veut pas se déshabiller !... Parce que je suis là... Car vous savez, n'est-ce pas, qu'on exige qu'ils meurent sans vêtements ?... Et celui-là qui n'ose pas... devant une femme... C'est comique...

Irina s'était levée. Sarcastique, elle interpella le condamné. Alors, je vis cette chose : le malheureux qui, docile, enlevait son veston rapiécé et son pantalon élimé et qui, pudique, se tournait vers le mur pour ôter sa chemise... Irina me fit un signe...

— Ma parole !... On dirait une jeune mariée...

Et brutale, elle lança à l'adresse de l'homme qui allait mourir un mot dont je devinai le sens :

— Demi-tour !

Galvanisé par cet ordre, inconscient, chancelant déjà sur ses jambes maigres, Tchernicheff obéit. Il était tout nu. Irina ne le regarda même pas. Elle fit un signe au bourreau, un signe qui semblait dire : « Débarrasse-nous rapidement de cette vermine ! » et revint vers moi.

Deux coups de feu retentirent. Tchernicheff s'écroula. Le tchékiste saupoudra de sable jaune le sol, autour du corps, et ramassa les vêtements du supplicié. Le ronron du moteur s'éteignit dans la nuit. Le garde rouge qui m'avait accompagné reparut. Irina me dit :

— Nous allons vous reconduire dans votre cellule, mon cher prince... Vous méditerez quelque temps sur ce que vous avez vu cette nuit...

Elle se tut quelques secondes et elle ajouta très gentiment :

— Il est toujours bon de se familiariser avec le destin qui vous attend.

Nous passâmes dans le couloir. Le garde rouge ouvrit la porte de ma cage. Irina fit signe à l'homme de rester au bas de l'escalier. Elle entra. Elle toucha ma couverture sur la couchette, elle remua ma paillasse et remarqua :

— Je suis une sœur pour vous... Voyez... Je viens vous border dans votre lit...

Elle s'était penchée sur la couchette pour plier ma couverture. Comme elle se relevait, je la pris brusquement dans mes bras. Quelle impulsion soudaine m'avait possédé ? Je ne sais, mais je la serrai contre moi et, presque bouche contre bouche, très bas, je lui dis :

— Irina... Vous êtes un monstre... Et pourtant je ne vous hais pas, moi... J'admire vos nerfs qui sont d'acier et votre cœur qui n'a rien d'humain et votre regard qui a la splendeur froide des statues hindoues... Irina... Laissez-moi partir et je réparerai tout le mal... Irina... Vos lèvres doivent avoir la saveur du sang et le parfum de la mandragore.

J'avais perdu la notion de la réalité. Je ne voyais plus que cette petite tête pâle, sous le rouleau d'ébène des cheveux en frange. Je ne voyais plus que cette bouche ironique et sensuelle qui ne répondait rien. Je mis mes lèvres contre ses lèvres. Elles ne se refusèrent pas. Je sentis l'abandon de ce calice cruel qui ne se refermait pas.

Ce baiser silencieux dura. Jusqu'au moment où, brutalement, le corps d'Irina échappa à mon étreinte. Avec une vigueur extraordinaire, elle me renversa contre la couchette ; elle me cracha littéralement au visage, se hâta vers la porte et me jeta :

— Vous croyiez déjà me posséder... Imbécile !... Mais j'ai honte des quelques secondes de faiblesse que vous m'avez imposées... Cette fois votre sort est décidé et vous avez signé sur ma bouche l'arrêt de votre mort.

14

Le lendemain matin, après une nuit peuplée de rêves atroces, je me réveillai, très las. Je tâtai mes joues sales et rugueuses. Je me sentais gagné déjà par la morne désespérance de mes codétenus. Le vol d'une phalène imaginaire bruissait sur mes tympans et la lourdeur d'une dalle funèbre oppressait ma respiration.

Vers deux heures de l'après-midi, le geôlier ouvrit ma porte. J'eus la surprise de voir Ivanof rentrer dans ma cellule. Il était méconnaissable. Une lueur joyeuse illuminait ses yeux, une énergie nouvelle animait ses gestes. Le rythme de sa démarche était plus vif. Il se hâta de me dire :

— Enfin !... C'est ma dernière nuit dans cette tombe... Ils ont reçu l'ordre de me libérer demain.

— Pourquoi ?

— Je n'en sais rien... Eux non plus, sans doute... Mais Chapinski m'a annoncé la bonne nouvelle tout à l'heure... Il m'a dit cela à regret, du bout des lèvres ; comme si ma libération était une déception pour lui... L'infâme reptile ! Si je pouvais l'étrangler avant de partir...

Je félicitai Ivanof. Il s'excusa :

— Mon pauvre ami... Je suis désolé d'être si gai devant vous, mais la joie fait bouillir mon sang... J'aurais voulu que vous aussi...

J'esquissai un geste las. Ivanof ne se doutait de rien. S'il avait su que madame Mouravieff me destinait au bourreau, il aurait eu honte de son alacrité.

— J'ai entendu le moteur du camion cette nuit, reprit-il plus bas. Encore une exécution dans le sous-sol...

— Oui... Tchernicheff.

Ivanof me regarda, étonné :

— Comment savez-vous ?

— J'ai assisté à l'exécution.

Il eut un haut-le-corps et fit :

— Vous ?... Vous avez...

— Oui... Par faveur spéciale de madame Irina Alexandrovna Mouravieff.

— La tchékiste de Moscou ? Elle est ici ?

— Elle s'intéresse à moi... Elle m'a donné un avant-goût de la cérémonie qui m'attend... C'est une sentimentale qui s'ignore.

— Mon pauvre ami.

La sympathie d'Ivanof était si vraie que je serrai spontanément les mains qu'il me tendait. Il n'osait plus rire ; rescapé de la mort, il se remettait au diapason, dans la chambre de l'agonisant. Il me questionna à voix basse. Je lui expliquai mon cas, longuement. Il me demanda :

— Qu'est-ce que je peux faire pour vous, ami ?

— Rien, hélas !

L'après-midi était fort avancé. Je me couchai et dormis quelque temps. Ivanof s'était accroupi dans un coin. La joie, malgré qu'il en eût, le tenait éveillé. Mille projets s'agitaient dans son cerveau. Vers le milieu de la nuit, je me réveillai brusquement. Une idée venait de poindre, lumière vacillante, dans mes ténèbres. Je chuchotai :

— Ivanof !

— Oui...

— Écoutez-moi...

Il s'assit le long de ma couchette. Je lui confiai :

— J'ai pu sauver de la fouille mille dollars américains.

— Mille dollars ! Oh !...

— Ils sont cachés là, entre deux pavés, sous la poussière... Avec mille dollars, ne croyez-vous pas qu'on puisse acheter certaines complicités, ici ?

— Oui et non. C'est un coup de dés.

— Je ne parle pas des gardes rouges... J'ai un autre plan... Ivanof, écoutez-moi bien... Des amis à moi, des Américains, croisent en ce moment au large de Trébizonde, à bord d'un yacht, le *Northern Star*... Ce yacht est pourvu d'un poste de T.S.F... Comme vous perdriez trop de temps à essayer de le rejoindre par le territoire arménien, en admettant qu'on vous laissât sortir de Géorgie, ne serait-il pas possible qu'on envoyât de

Nikolaïa un message par sans-fil à l'opérateur du *Northern Star* ?

— Je doute qu'il y ait un poste d'émission privé à Nikolaïa... Mais le sémaphore, à l'entrée du port, est, si je ne me trompe, pourvu d'un appareil... Tout dépend de l'homme qui le manœuvre.

— Pour mille dollars, cet homme, quel qu'il soit, consentirait peut-être à transmettre un appel à un navire étranger... Qu'en pensez-vous ? Et pour cinquante mille dollars, somme que mes amis me prêteront, Chapinski serait peut-être prêt à me laisser filer ? Voulez-vous tenter l'aventure pour moi ?...

Ivanof hésita et répondit :

— Je risque d'être incarcéré de nouveau pour complicité de tentative d'évasion ; mais je veux bien m'exposer à ce danger si vous me donnez votre parole que, dans le cas où la chose réussirait, vos amis du *Northern Star* me prendraient à leur bord pour me débarquer à Constantinople ?

— Je vous en donne ma parole.

— Alors, dès demain, je rendrai visite au gardien du sémaphore. Quel est le libellé du message à envoyer ?

— Vous n'avez pas de crayon ?

— Non. Ma mémoire est bonne. Et mieux vaut ne rien écrire.

— Le voici : « Steamyacht *Northern Star,* mer Noire. Toute vapeur port de Nikolaïa, mari très malade. »

— Pas de signature ?

— Non. Il faut prévoir le cas où un poste soviétique capterait le message.

— Le mari très malade, c'est vous ?

— Oui.

— Et le propriétaire du yacht comprendra ?

— C'est ma femme.

Ivanof me regarda déconcerté. Il murmura :

— La princesse Séliman navigue sur la mer Noire pendant que vous croupissez dans un sous-sol à Nikolaïa ?

Je lui exposai mon cas sentimental. Il m'écouta avec la plus grande attention et s'intéressa vivement à mon roman vécu.

Il conclut :

— Élaborons donc notre plan d'action : dès ma libération, je m'abouche avec le gardien-chef du sémaphore. Je suppose que vos dollars le convainquent. Il consent à envoyer le radio-gramme. Je suppose encore que la princesse se rende à votre appel. Le yacht mouille au large du port. Que faudra-t-il faire ?

— Dès que le canot viendra à quai, vous remettrez au matelot une lettre adressée par vous à la princesse Séliman et dans laquelle vous lui exposerez ma situation. Vous suggérerez à la princesse de convoquer Chapinski à bord pour lui offrir cinquante mille dollars s'il consent à me laisser évader. Ensuite, nous verrons. Je n'ai pas besoin de vous dire, Ivanof, que si vous me tirez de ma geôle, non seulement vous échapperez, vous aussi, à l'enfer des Soviets, mais votre fortune comme musicien sera faite en Amérique.

— Ami, vous êtes un tentateur... Et pourtant nous risquons tous les deux notre vie dans cette affaire.

— Il y a des cas où il faut jouer quitte ou double... D'ailleurs, l'enjeu ne vaut-il pas le risque ? En collaborant à mon évasion, vous assurez votre carrière future et le bonheur de votre fiancée qui viendra vous retrouver plus tard à New York, à mes frais, bien entendu. Voyons, Ivanof, vous connaissez l'état d'âme des communistes mieux que moi. Croyez-vous que les convictions de Chapinski soient à l'épreuve de cinquante mille dollars, en saine monnaie du Trésor américain ?

Ivanof ferma les yeux. Sa méditation fut brève. Il me prit la main, la serra fortement et conclut :

— Vous avez ma parole... Quitte ou double... Donnez-moi vos bank-notes afin que je les cache sous ma chemise et demain matin je me mets à l'œuvre.

∾

La lenteur de la marche du temps après le départ d'Ivanof fut pour moi la plus aiguë des tortures mentales. À peine eut-il obtenu sa libération que je commençai de supputer l'emploi de ses heures. J'imaginais ses premiers pourparlers avec le gardien du sémaphore, la diplomatie et la prudence qu'il devrait déployer dans un pays où la délation au regard bigle rase les murs des maisons et s'insinue de biais, par les portes entrebâillées.

La journée durant, je n'eus d'autre visite que celle du geôlier qui me nourrissait de pain noir et de soupe au millet. L'impatience vrillait mes tempes fiévreuses. Toutes les heures, je me levais brusquement pour arpenter ma cellule de huit mètres carrés. Ma raison à la dérive guettait l'ombre d'Ivanof. Mes pensées tournaient, météores erratiques, autour d'Ivanof. Jamais une femme adorée ne hanta à ce point le cœur de son amant. Comme le fumeur d'opium aux sens hyperesthésiés, il me semblait parfois que les ondes intactiles du radiogramme libérateur frôlaient mes oreilles en s'épandant à travers l'espace. Le crépitement imaginaire d'un poste d'émission berçait mon anxiété... Et puis l'effluve froid du doute baignait tout à coup mon épiderme. Ivanof était parti avec mille dollars... Avais-je eu raison de me fier à lui? Pourquoi ne garderait-il pas cette liasse de billets, plutôt que de s'exposer aux périls d'une évasion partagée? Il était libre, en somme, relativement libre dans un pays qui a perdu le sens de ce vocable cher aux civilisés occidentaux.

La nuit vint. La lanterne jaune brûla de nouveau. Le souvenir de Lady Diana m'enveloppa quelque temps. Où était-elle à cette heure-là? À Londres sans doute, avec Varichkine. Ils s'étonnaient sûrement de ne recevoir aucune nouvelle de moi, aucune réponse aux télégrammes adressés à l'hôtel Vokzal et que les tchékistes avaient sûrement interceptés... J'évoquais la Madone des Sleepings dans son boudoir de Berkeley Square, jouant avec le désir inassouvi de Varichkine à ses pieds, attendant les précisions de mes rapports pour lui ouvrir son cœur... Lady Diana, à cette minute même, exerçait peut-être les artifices de sa séduction entre deux monticules de kapok emmaillotés de velours brodé... Je la devinais, presque nue sous sa robe rose et blanche... Un flamant fourré d'hermine... Montrant la rondeur de ses bras nus et le grain velouté de sa peau frictionnée de verveine et poudrée sans excès... Je voyais aussi Varichkine, dompté, muselé, maté... Varichkine aux yeux cernés par l'espoir, guettant sa proie, enchaîné par la volonté d'une biche qui cachait une âme de panthère dans le corps alléchant d'une femme sans défense.

Pauvre Varichkine... Pèlerin attentif aux genoux de la Madone de Notre-Dame-des-Fards... Amoureux transi devant une icône au cœur de glace... Il n'était pas de force, malgré sa rouerie d'Asiatique, habile à mentir. Espérait-il vraiment vaincre cette Anglo-Saxonne affranchie, libérée des liens que nous impose l'éthique aléatoire d'une société sans idéal ? Espérait-il courber le front de cette petite fille des Pictes et des Scots, héritière naturelle des montagnards des Grampians qui défiaient jadis l'envahisseur romain et arrêtaient la marche triomphale de ses légions invaincues ?

Le slave amoureux d'une Écossaise... Beau

motif à dissertations pour les scalpeurs d'âmes qui ratissent avec un peigne de poche les mauvaises herbes du Pays du Tendre... Joli sujet de cheminée pour le salon de psychologue, patenté chez le percepteur des suppositions indirectes... Admirable mélange détonant pour le chimiste qui épie la notation atomique de soupirs dans la cornue des grands frissons... Pour moi, je renonçais à rien prévoir. Je n'avais même pas le courage d'évoquer, dans ma détresse présente, ce qu'il adviendrait de cette idylle si le gorille au front pâle, marqué d'une étoile rouge, braquait, un soir, le canon de son browning vers ma poitrine résignée.

∽

Le lendemain, on m'accorda une heure de promenade dans le préau de l'école. L'air frais du matin me fit du bien. J'aurais voulu me laver dans la cour. Le garde rouge de service ne me le permit pas.

Je rentrai à regret dans mon sous-sol. Mes yeux, éblouis par le soleil, ne distinguèrent rien du tout d'abord. Mais une surprise m'attendait. Je reconnus, dans ma cellule, la silhouette d'Irina. Elle me salua, ironique, comme d'habitude :

— Bonjour, noble détenu...

Je m'inclinai, sans rien dire. Je n'étais pas d'humeur à plastronner devant elle. Je m'assis sur ma couchette et affectai d'ignorer sa présence. Irina m'observa en silence, puis elle déclara :

— Votre barbe pousse, prince Séliman... Encore quelques jours et vous aurez l'air d'un moujik... d'un vulgaire prolétaire qui trime pour donner le superflu aux femmes des capitalistes...

J'eus un geste excédé :

— Oh! madame... De grâce... Pas de lieux communs sur ce sujet!... Gardez cela pour vos réunions publiques et pour les hydrocéphales qui vous écoutent.

Irina affecta de ne m'avoir point entendu. Elle continua :

— En somme, quelle différence y a-t-il entre un prince Séliman et un débardeur peint par Gorki ? Un coup de rasoir et un pain de savon... La matière grise ? Pfffft !... Les anatomistes ont constaté que le cerveau d'un imbécile pèse aussi lourd que celui d'un homme intelligent... La glande thyroïde ? Peut-être... On saura cela dans un siècle. Car il n'y a pas de grands hommes, d'après les novateurs de la médecine : il y a plus ou moins de ris de veau autour d'une pomme d'Adam... Soit !... Je vous taquine, prince... C'est un peu mon droit. Je viens savourer les étapes de votre déchéance. Dans quinze jours, si la Tchéka vous prête vie, vous serez à point... Votre pantalon aura perdu jusqu'à la trace de ces plis impeccables qui sont les deux parallèles de la géométrie du snobisme... Votre veston fripé, votre col noirci, vos ongles sales, vos joues creusées parachèveront ce tableau charmant... Je me délecte d'avance à l'idée de vous voir sous les espèces poussiéreuses et malodorantes d'une épave de la société, d'un détritus prélevé sur l'écume qui couronne le pot-au-feu de la Démocratie... Vous ne dites rien ?

— Non madame.

— Insensible aux sarcasmes ? Déjà ?... Nous ne réagissons plus sous les banderilles ? Le taureau est fatigué ? Nous n'avons plus l'orgueil de paraître ? Est-ce le détachement suprême du brahmane décortiqué de son moi ?

Mon silence irritait madame Mouravieff. Elle frappa le sol du talon de sa botte noire et s'écria :

— Prince... Vous pourriez me faire l'honneur de me répondre.

Je la dévisageai. Je répliquai simplement :

— Madame... Vous pourriez me faire la grâce de me laisser tranquille.

Nous nous regardâmes en silence. Elle eut un éclat de rire cruel et dit :

— Un de ces soirs, vous vous déshabillerez devant moi, comme Tchernicheff... Vous vous dévêtirez avant de mourir... Ce sera une sensation nouvelle pour vous... Vous vous souviendrez alors de vos garçonnières parisiennes où vous accomplissiez ce rite pour immoler une vertu complaisante... Mais cette fois-là, la chute sera définitive... Ni fleurs ni porto.

Irina s'était approchée de moi ; son visage irradiait de la haine. Ses yeux me brûlaient la rétine comme deux foyers lumineux qu'on regarde de trop près. Elle reprit :

— Pensez à Tchernicheff qui avait honte de se montrer devant moi... Je vous verrai tout nu... Ce sera la honte suprême pour vous, avant la fin...

Je m'adossai contre le mur et fis :

— Vous me haïssez donc tant que cela ?... Pourquoi ?

Ma question sembla ébranler sa fureur sourde. Elle demeura interdite. Je repris :

— J'avoue ne pas comprendre une haine si intense... Si j'étais votre amant et que je vous eusse trahie, bafouée, humiliée, maltraitée, il serait sinon juste, du moins admissible que vous eussiez le désir de vous venger... Mais c'est à Varichkine que votre colère devrait s'adresser. Vous me faites expier les écarts de votre amant. Ne croyez-vous pas qu'il y ait là quelque chose qui choque la justice ?

Irina haussa les épaules :

— La justice !... Notion petite-bourgeoise... Est-ce que votre Tout-Puissant s'est occupé de la justice quand il a déchaîné le déluge et noyé indifféremment les bons et les méchants ? La justice ?... Une police d'assurance des faibles contre les forts ! Nous, bolcheviks, nous détenons la Force. Tant pis pour les autres.

— Le Chancelier de Fer parlait comme vous, madame...

— Et puis, après ?... *Kraft ist Macht*... La Force prime le Droit. Vos hallucinés de la Société des Nations nous font rire à Moscou... Un guignol pour les vieillards tombés en enfance, pour les vieux marmots qui font joujou avec les utopies pendant que leurs nurses rêvassent sur le lac de Genève... La Société des Nations! ah! ah!... Quand le monde entier fermente de haine?... Quand les Jaunes, édifiés par nous, s'éveillent peu à peu? Quand les Germains, à peine groggy, reprennent doucement leur respiration? Quand les Anglo-Saxons vous embrassent pour mieux vous étrangler? Nous reparlerons de tout cela lorsque les humains seront devenus bons, généreux, raisonnables, inaccessibles à l'envie, à la jalousie, à la cupidité... C'est-à-dire dans trois ou quatre mille ans. En attendant, monsieur, il faut se faire justice soi-même. Et voilà pourquoi vous êtes prisonnier ici... Ce n'est pas moi qui suis allée troubler votre breuvage; c'est vous, Don Quichotte d'une Dulcinée nourrie au haddock, c'est vous qui avez brisé mon cœur en m'arrachant mon amant... Il y a trois coupables à punir : Lady Diana, Varichkine et vous. Chacun son tour. Le hasard m'a permis de vous atteindre le premier. Quand j'aurai réglé votre compte, Lady Diana paiera sa dette. Et puis Varichkine... S'il vous est agréable de le savoir, je peux vous dire déjà que vous n'expierez pas tout seul...

— Madame Mouravieff... Répondez-moi donc franchement. N'est-ce pas la haine de classe qui vous inspire, plutôt que le désir de venger un amour malheureux?

— Les deux... Je ne vous hais pas seulement, vous et votre Lady Wynham, parce que vous êtes la cause de mon infortune sentimentale, mais parce que vous appartenez à une classe sociale que j'exècre...

— Que vous enviez...

— Et parce que vous êtes les vrais parasites de la société... Une légion de frelons inutiles dans la ruche où l'on travaille... Des paons qui font la roue dans la basse-cour et qui picorent les grains de choix sur l'écuelle de la communauté. Pendant que je portais des bas de coton et étudiais à l'université de Petrograd, avec dix kopecks dans mon petit sac à main, Lady Diana Wynham portait des robes de cour de mille guinées et gaspillait en un jour plus d'or que n'en eussent gagné toutes mes camarades en un an...

— Madame, vous avez tort de vous plaindre, puisque, à Berlin, c'est-à-dire quand vous n'êtes plus sur le territoire russe, vous vous habillez comme une femme du monde, avec des bas de soie et un tailleur d'une élégance sobre, mais impeccable.

— La Révolution, monsieur !

— C'est ce que je voulais vous faire dire. Aujourd'hui, vous qui êtes devenue l'éminence rose des nouveaux seigneurs du régime, vous suscitez l'envie de vos propres sœurs, les ouvrières nationalisées, et vous semez la jalousie dans l'âme des futures Irina Mouravieff... La roue tourne... Et tant que la morne et rigoureuse égalité n'aura pas imposé la même pitance et la même saloperie aux génies comme aux crétins, vous serez toujours en deçà ou au-delà de la barricade... Mais je sais que votre âme de révolutionnaire est insatiable et que mes arguments n'apaiseront pas votre rancœur... J'attendrai donc patiemment dans ma cellule que vous vous décidiez à statuer sur mon sort et vous aurez le privilège de me dévêtir vous-même afin d'offrir mon corps au browning du bourreau.

15

La journée passa. Interminable. Lourde
comme le saumon de plomb au pied du galérien.
Le soir, je m'aperçus avec étonnement que le
geôlier habituel avait été remplacé par le tchékiste qui m'avait arrêté à l'hôtel Vokzal. Il posa
du pain moisi sur ma planche et m'expliqua :

— Le camarade est appelé à Koutaïs. C'est
moi donc qui vous donnerai votre soupe.

Il m'observa de côté et ajouta incidemment :

— Pas longtemps d'ailleurs.

— Vous partirez aussi ?

— Non... Vous serez libéré... Ou bien fusillé
d'ici peu... J'ai entendu des camarades là-haut
discuter votre cas... Ils lisaient une dépêche de
Moscou adressée à Irina Mouravieff... Ils ont
dit : « Demain soir... » Alors, je suppose que
demain soir, vous aurez du nouveau... Mort ou
libre... Mort plutôt, je crois...

Je passai encore une nuit de cauchemar. Que
faisait Ivanof ? Avait-il réussi à envoyer le radiogramme ? Terrassé par la fatigue, je m'endormis
à l'aube. On vint me réveiller pour ma prome-

261

nade matinale. Le garde rouge, dans le préau de l'école, un garde que je n'avais point encore vu, m'adressa un signe discret qui me décontenança. Il m'invita du regard à le suivre. Il m'emmena derrière un hangar et me montra une sorte de resserre à bois de chauffage contiguë au mur de clôture du préau. Il me fit signe de pousser la porte vermoulue. J'obéis. À peine entré dans la cabane, je tressaillis de stupéfaction... Mon ami Ivanof était là, entre deux piles de bûches.

— Vous!... Par quel miracle!

— Parlons vite... Nous avons droit à dix minutes de conversation... Sachez seulement que j'ai acheté le silence du tchékiste qui surveille votre promenade.

— Mais... Mon message!

— Attendez... Laissez-moi vous narrer les faits dans leur enchaînement... À peine libéré, je me suis rendu au port, et, en buvant avec des pêcheurs, j'ai appris que le gardien du sémaphore était un vieil officier de marine retraité, un bonhomme de l'ancien régime, que les bolcheviks ont jugé inoffensif et qui vivote paisiblement dans sa maison hérissée de signaux. Je me suis abouché avec lui. Il se nomme Gregor Lobatchof. Je suis retourné le voir hier soir. Je me suis intéressé à sa vie... À son passé... à ses opinions... Tête à tête, nous avons ouvert nos cœurs et maudit les tyrans actuels... Il m'a montré son poste de T.S.F. Il m'a expliqué que, réglementairement, il ne devait s'en servir que pour envoyer des renseignements d'ordre maritime aux bateaux qui passent... Certain que je pouvais me fier à lui, je lui ai dit aussitôt la vérité... Toute la vérité... Il a eu aussitôt de la sympathie pour vous et m'a déclaré que non seulement il refusait vos mille dollars, mais se ferait un devoir de vous aider, dans la mesure de ses moyens.

— Le brave homme!...

— À dix heures du soir, il s'asseyait devant son poste et tentait de se mettre en communication avec l'opérateur du *Northern Star*.... Ce ne fut pas sans peine... Il put enfin transmettre le message convenu et donna son signal d'appel pour recevoir la réponse... Elle ne fut pas longue à venir... À dix heures quinze, le sans-filiste du yacht radiographiait ces mots : « Mettons cap sur Nikolaïa; serons au large du port, à onze heures du matin... » Voilà, mon ami, la bonne nouvelle que je tenais à vous donner. Je suis revenu rôder autour de l'école ce matin; je me suis abouché avec le garde rouge qui devait surveiller votre promenade et, moyennant cent dollars glissés dans sa cartouchière, j'ai obtenu cette entrevue providentielle.

Un coup de botte contre la porte interrompit notre colloque. On chuchota en russe. Ivanof répondit. Puis, plus bas, il ajouta :

— Il faut nous hâter... Il a peur qu'on remarque quelque chose d'insolite. Je vais retourner au port. Dès que le yacht sera en vue, je louerai une barque et gagnerai le bord... Pour le reste, à la grâce de Dieu !

— Je vous en prie, Ivanof, dépêchez-vous... On

m'a informé que la Mouravieff et Chapinski déci-deraient ce soir de mon sort... Libération ou exé-cution... Mes heures sont comptées...

— Oui... Oui... Reprenez votre promenade avec le garde rouge... Je vais faire l'impossible pour vous sauver... Courage, ami...

∽

Je ne pus toucher aux aliments qu'on m'ap-porta. La crainte qu'Ivanof fût empêché de rejoindre le yacht me donnait des sueurs glacées. L'après-midi s'écoula. Quand vint le crépuscule, le tchékiste descendit pour allumer la lanterne jaune dans le couloir. Il causait avec un cama-rade. Les accents gutturaux de leur conversation animée parvenaient jusqu'à moi. Je poussai du doigt la trappe du judas et les regardai. Ils riaient. Ils parlaient tout à coup à voix basse. Ils haus-saient le ton de nouveau et s'esclaffaient encore. L'autre tchékiste désigna ma cellule. Ils s'appro-chèrent. Je me couchai vivement et frissonnai d'entendre le bruit du verrou tiré. Les deux hommes s'arrêtèrent sur le seuil de la porte.

Le compagnon de mon geôlier me considéra avec intérêt. La conversation reprit de plus belle, hachée de rires. Je demandai, dissimulant mon angoisse affreuse :

— Rien de nouveau, camarade ?

Mon geôlier échangea quelques mots avec l'autre et répondit :

— Ah !... Au point où vous en êtes, on peut bien

vous raconter l'affaire... Vous serez mort cette nuit, alors vous n'aurez pas le temps de faire beaucoup d'indiscrétions... Seulement, vous venez d'être la cause d'une belle querelle entre la Mouravieff et Chapinski.

— Moi !

— Oui !... C'est même pour ça que mon camarade a voulu vous voir de plus près... Moscou a télégraphié pour laisser au chef de la Tchéka locale la responsabilité du verdict à prendre... La Mouravieff a naturellement décidé votre mort... Mais il lui faut obtenir le visa de Chapinski sur l'ordre d'exécution... Et c'est là que la chose devient drôle... Ha ! Ha ! Ha !

Le tchékiste envoya un coup de coude à son camarade, gloussa de joie et ajouta :

— Le camarade Chapinski veut bien signer... à condition que la Mouravieff lui accorde son... sa... Vous me comprenez... Tout et le reste... Ha ! Ha ! Ha ! Seulement, la camarade ne veut pas de Chapinski et je comprends ça... Avec cette gueule à faire tourner un pot de petit-lait...

— Alors ?

— Alors, ils ont eu une discussion terrible... La Mouravieff, qui n'a peur de rien, a marqué d'un grand coup de canne la figure de son galantin, qui est sorti du bureau en claquant la porte et en refusant de signer l'ordre...

— Et moi ?

— Oh ! pour vous, ça ne change rien. La Mouravieff se passera du visa de l'autre et voilà tout... Mais vous n'avez pas de chance... Si Chapinski avait été couvert par Moscou, il vous graciait, rien que pour embêter la camarade... Vous voyez à quoi tiennent les circonstances... Enfin, j'ai voulu vous prévenir d'avance, parce que vous n'avez pas l'air d'un mauvais bougre... Comme ça vous ne serez pas trop surpris, cette nuit, vers les dix ou onze heures, quand on viendra vous chercher pour aller en ville...

Le tchékiste compatissant lança un jet de salive sur les pavés et conclut, la main sur la porte :

— N'est-ce pas que c'est tout de même foutrement drôle ?... Le grand Chapinski qui se fait abîmer la figure à cause de vous... Ha ! Ha ! Ha !

Et la porte se referma sur le dernier éclat de son rire méphistophélique.

∽

Cinq heures au plus me séparaient de la tragique échéance, car il était probable que le bourreau viendrait me chercher avant minuit. Comment espérer qu'en si peu de temps Ivanof pût prévenir Griselda et que celle-ci réussît à agir ?

Une grande résignation s'empara soudain de moi. Sans que ma volonté s'efforçât de dompter mes nerfs, une sorte de torpeur anesthésiante endormit mon cerveau trop las. Je m'allongeai sur ma paillasse et me livrai sans autres réactions à mon destin désormais fixé.

La mort est-elle vraiment si terrible et les stoïciens ont-ils seuls le droit de l'attendre sans faiblir? Notre vie entière n'est-elle point une salle d'attente où nous piétinons, jusqu'à l'heure du train pour l'au-delà? Ne devrions-nous pas y penser chaque jour, puisque demain le sort peut nous réclamer notre billet de retour vers le néant? Et pourtant, nous l'oublions, parce que l'incertitude de la date fatale nous y convie. Singulier état d'esprit que le nôtre, qui nous fait accepter en souriant une traite en blanc de la camarde, alors que nous frissonnerions d'épouvante si d'avance elle nous imposait une date inexorable.

∾

Je me réveillai en sursaut. Quelqu'un qui était entré dans ma cellule et que je n'avais pas entendu me tapait sur l'épaule. Mon sommeil était si lourd que je dus plusieurs fois ouvrir et fermer mes paupières avant de reconnaître mon visiteur. C'était Chapinski.

Une douche froide en plein visage ne m'eût pas ranimé plus vite. Je le regardai, sous la lumière jaune qui l'éclairait de biais. Il portait, en vérité, une large balafre rouge en travers du front. Il parla le premier, à voix basse :

— Séliman... Nous avons dix minutes pour fuir Nikolaïa, un quart d'heure pour rejoindre le yacht américain et trente minutes pour nous transporter hors de la limite des eaux territoriales...

Son langage tenait du rêve. Je ne bougeai pas. Il me secoua par les épaules :

— Allons! Levez-vous donc... Si vous tardez, vous serez fusillé, je perdrai cinquante mille dollars et...

— Chapinski?... Vous dites la vérité... Je... Je... Vous... Oh!...

Il me tira presque hors de ma couche et s'emporta :

— Puisque je vous le dis... Tenez!... Soyez convaincu!

Il mit la main dans la poche de son veston de cuir et en sortit une liasse de bank-notes.

Électrisé par ce revirement inattendu de la fortune, je me levai et dis :

— Chapinski... Aidez-moi à fuir et votre fortune est faite, à vous aussi...

Il poussa doucement la porte de ma geôle et murmura :

— Sortons!

Il m'invita à marcher devant lui, dans l'axe de son revolver, braqué sur mon dos. À mi-voix, il m'indiquait la direction à suivre. Le garde rouge en haut de l'escalier s'effaça pour me laisser passer. Chapinski lui lança en russe un ordre bref. Nous franchîmes le préau désert. Les hommes de garde causaient derrière un tombereau, qui implorait la nuit de ses deux brancards vides.

— Par ici... chuchota Chapinski.

Nous étions déjà dans la rue. Alors, il hâta le pas et dit :

— Maintenant, camarade... marchons vite jusqu'au port. Je ne serai tranquille que lorsque nous aurons le pied sur le youyou.

Ma captivité et ma privation de nourriture m'avaient trop handicapé pour fournir un record de cross-country à travers Nikolaïa endormie. Mais cette résurrection quasi miraculeuse stimulait mes jarrets. Les dents serrées, les coudes au corps, je suivais les longues enjambées de Chapinski inquiet. Nous longeâmes une dernière rue flanquée de maisons basses et aboutîmes au quai du petit bassin central. La côte était plate. À droite ou à gauche, on ne distinguait rien. Deux ou trois fanaux luisaient dans le port, lucioles bercées au gré des vagues. Au large, les feux de position du *Northern Star* me prouvaient que tout cela n'était point un mirage.

Nous obliquâmes vers la jetée, une simple estacade de bois noir, et descendîmes sur la grève. Une silhouette surgit dans la pénombre, derrière un amas de caisses abandonnées.

— Qui est là ? demandai-je anxieux.

— Ivanof, répliqua Chapinski.

L'homme s'approcha de nous. Je reconnus, en effet, mon compagnon de cellule. En m'apercevant il me prit dans ses bras et spontanément me baisa la bouche, à la russe. Cher Ivanof !... Aujourd'hui encore, je pense à lui et je le remercie avec toute la ferveur d'un cœur reconnaissant.

Mais Chapinski interrompit ces effusions :

— Où est le canot ?

Ivanof hocha la tête :

— Il devait venir nous chercher à dix heures précises.

Chapinski scruta le cadran lumineux de sa montre et constata :

— Onze heures dix... Pourquoi ce retard ?

— Je n'en sais rien.

La faucille d'argent de la lune, près de l'horizon, nous éclairait d'une fluorescence opaline. Je vis tout à coup un pli de méfiance sur le front de Chapinski. Il nous regarda alternativement et dit :

— C'est un coup monté entre vous... pour me perdre ?

Ivanof le prit par le bras :

— Voyons, camarade... Es-tu fou ?... N'avonsnous pas plus que toi encore le désir de fuir ? La princesse Séliman ne m'a-t-elle pas remis les billets pour toi... pour que tu sauves le prince ?... Pourquoi soupçonner une trahison ?

Chapinski eut un geste d'excuse. Il dit :

— Tu as raison... Je vois des traîtres partout...

Et, tourné vers moi, il ajouta :

— Pardonnez-moi, après quatre ans de Tchéka. Mais il faut aviser... Les minutes sont précieuses et nous ne pouvons pas rester là sans danger.

Nous scrutâmes les flots. La mer Noire étalait sa traîne ocellée de reflets lunaires. Nulle barque n'approchait du rivage.

— Ils sont peut-être dans le port ?

Ivanof secoua la tête :

— Non. J'en arrive... Il n'y a personne. Que faire ?

Chapinski se tourna vers moi :

— Pourquoi ne pas sauter dans un des petits canots amarrés à l'estacade et rejoindre le yacht sans tarder ? Chaque minute passée sur cette grève nous met en péril.

— Chapinski a raison, fis-je. Allons vite au port... Le *Northern Star* est mouillé à un mille et demi... Avec deux paires d'avirons, nous l'accosterons en vingt minutes.

Ivanof acquiesça. Nous longeâmes la grève prestement. Tout à coup, Chapinski tendit le bras vers la mer et s'exclama :

— Regardez !... Le yacht vire sur son ancre... On ne voit plus son feu rouge...

Une fumée épaisse s'échappait de la cheminée, répandant des flocons sombres sur l'écran phosphorescent de la nuit. L'angoisse nous figeait sur le sable humide. Ivanof demanda :

— Qu'est-ce que ça veut dire ?

— Cela veut dire qu'il s'en va... Il met le cap sur le large... Voyez !...

Je saisis Chapinski et Ivanof par le bras et je m'écriai :

— Alors, plus une minute à perdre... Il faut courir au sémaphore et demander à Lobatchof de nous remettre en communication avec le *Northern Star*... Il y a là quelque chose que nous ne comprenons pas... Nous sommes sûrement les victimes d'un tragique malentendu.

— Séliman a raison... Allons au sémaphore...

La baraque de bois de Lobatchof, avec ses deux mâts et ses antennes, ressemblait à un gros insecte, tapi au bout du môle de pierre, à l'extrémité nord du bassin. Nous nous hâtâmes. Nous ne perdions pas de vue le yacht qui semblait vraiment appareiller pour prendre le large.

— Si nous ne réussissons pas à rejoindre le *Northern Star* cette nuit, nous sommes perdus, dis-je à Ivanof, qui courait à mon côté.

— Dieu nous aide... murmura-t-il.

Nous avions atteint le sémaphore. Chapinski s'arrêta et nous montra un rai de lumière entre les volets clos.

— Lobatchof est là... Tant mieux !

Ivanof s'était glissé vers la porte vitrée... Tout à coup, il nous fit signe d'approcher sans bruit. Une nouvelle surprise nous guettait dans cette cabane de bois goudronné... À travers les rideaux, nous reconnûmes madame Mouravieff. Elle était debout, derrière le vieux Lobatchof, qui, penché sur sa table d'émissions radiographiques, semblait attendre ses instructions. Chapinski, Ivanof et moi, nous comprîmes tout. Nous étions atterrés. Mais le tchékiste réagit aussitôt et crispant ses deux mains sur nos bras, il chuchota :

— Nous sommes perdus... Un coup d'audace peut seul nous sauver... Suivez-moi...

Il poussa brusquement la porte. Nous fîmes irruption dans la cabane. Madame Mouravieff s'était retournée. En un tournemain, Chapinski la maîtrisa et ordonna :

— Vite... une corde pour la ligoter et une serviette pour la bâillonner...

Ivanof s'empressa, avec le concours de Lobatchof. Je regardais madame Mouravieff prisonnière de l'étreinte du tchékiste. Sa stupéfaction de me voir en liberté avait fait place à un accès de colère sourde :

— Trois hommes contre une femme ! s'exclama-t-elle. Quelle lâcheté !... Quelle ignoble lâcheté...

Je répliquai :

— Vous ne nous avez pas enseigné la loyauté, madame... C'est une vertu qui n'entre pas dans la Russie des Soviets.

Elle tenta d'appeler. Chapinski lui mit la main sur les lèvres et commanda :

— Pas tant de bruit, ma belle colombe... Nous sommes pressés... Ivanof... attache solidement ses pieds et ses mains, pendant que je noue ce foulard sur sa petite bouche de vipère... C'est ça... Fais encore un nœud... Je me méfie de la camarade... Très bien... Séliman, aidez-moi à la porter dans la chambre de Lobatchof... Doucement... Par ici... Il faut être galant avec les jolies femmes, même quand elles vous cravachent le visage...

Nous déposâmes madame Mouravieff, impuissante, sur la couchette ; nous fermâmes la porte au verrou et nous revînmes auprès de Lobatchof qui, déconcerté, écoutait les explications d'Ivanof.

Il me présenta au vieil officier retraité :

— Le prince Séliman... Gregor Dimitrievitch Lobatchof, ex-capitaine de corvette de la marine impériale... Mon ami est le mari de la princesse Séliman qui possède le *Northern Star*... Mais,

273

pour Dieu, camarade, expliquez-nous ce que la Mouravieff faisait ici ?

— Mes amis, commença Lobatchof, je vous dirai tout, parce que, maintenant, mon sort est lié au vôtre... Ou bien nous mourrons tous, ou bien nous sortirons vivants ensemble de cette impasse.

Tandis qu'il parlait, il manipulait déjà ses leviers pour appeler l'opérateur du yacht. Il continua :

— Ce soir, vers dix heures, j'allais me coucher quand une femme entra dans cette cabane. Son attitude autoritaire, la fermeté de son langage m'inquiétèrent. Elle se nomma. J'eus aussitôt peur pour vous, Ivanof, et pour votre ami. Mes inquiétudes étaient fondées, car Irina Mouravieff me déclara sans préambule : « Je sais que vous avez envoyé par T.S.F. un message à ce yacht étranger qui a jeté l'ancre au large de Nikolaïa. Je sais aussi que ce yacht appartient à la princesse Séliman, la femme d'un prisonnier politique incarcéré et condamné à mort par la Tchéka de Moscou... Vous allez donc envoyer immédiatement le radiogramme que je vais vous dicter... »

Je voulus protester. Irina Mouravieff répliqua : « Ordre de la Tchéka. Si vous refusez, je vous fais arrêter cette nuit même. » Je ne pouvais qu'obéir... Irina Mouravieff me lut alors les lignes suivantes qu'elle avait écrites sur ce morceau de papier... Prince Séliman... Prenez-en connaissance.

Je me penchai sur la feuille froissée et déchiffrai à haute voix :

— Princesse Séliman à bord du *Northern Star*. Madame, votre mari vous sera rendu sain et sauf demain, à midi, à Batoum. Regagnez ce port sans plus tarder. Signé : Ivanoff.

Ivanof eut un geste de stupéfaction.

— Comment ! Elle sait déjà que je suis mêlé à cette affaire ?

— Elle sait tout... interrompit Chapinski. Mais ne perdons pas un temps précieux à parlementer ici... Lobatchof, êtes-vous en communication avec le sans-filiste du yacht ?

— Non. Pas encore... On ne répond pas à mes appels...

Tandis que Lobatchof continuait d'envoyer ses ondes à travers la nuit, Ivanof m'expliquait :

— Je comprends... Elle a voulu faire d'une pierre deux coups : écarter le yacht de Nikolaïa afin de nous enlever toutes chances de salut et faire mettre l'embargo sur le *Northern Star* par les torpilleurs de la flotte rouge actuellement à Batoum...

Lobatchof, la main droite sur son levier, acquiesça :

— C'est exact, car au moment où vous vous êtes précipités dans ma cahute, elle venait de m'ordonner de me mettre en communication directe avec le commandant du contre-torpilleur *V-14* de la flottille soviétique de la mer Noire... Ah ! le yacht répond... Silence !...

Nous nous penchâmes tous les trois vers

Lobatchof qui venait d'ajuster son casque... Il transmit des mots... Le cliquetis du levier de cuivre dans la cabane silencieuse traduisait notre fervent appel. Il y eut un arrêt. Une minute. Deux minutes passèrent... Une éternité! Nous interrogions Lobatchof du regard. Il nous fit signe de ne pas bouger. Puis soudain, il prit un crayon et inscrivit, lettre par lettre, la réponse de l'opérateur. Elle était rédigée en anglais :

« *We are sending at once motorboat to fetch you at the pier.* »

Ivanof et Chapinski ne comprenaient pas l'anglais. Ils m'interrogèrent. Je traduisis :

— Nous vous envoyons immédiatement le canot automobile pour vous prendre sur la jetée.

Mes deux camarades d'évasion poussèrent un cri de joie. Lobatchof se leva. Il me demanda, avec l'exquise courtoisie des vieux officiers de la marine impériale russe :

— Oserai-je vous prier, mon cher prince, de m'emmener avec vous?... Si du moins ma fuite sur le yacht ne choque pas madame la princesse Séliman, à qui je n'ai pas encore eu l'honneur d'être présenté?

Je saisis les deux mains de l'ex-officier et répliquai :

— Commandant! Ma femme sera trop heureuse de vous accueillir à son bord, vous qui êtes notre sauveur!

Tandis qu'il me remerciait, Chapinski dit à Ivanof :

— Allons voir si notre belle colombe est toujours convenablement ficelée et bâillonnée... Il serait imprudent qu'elle pût s'échapper d'ici avant cinq ou six heures... Quant à vous... camarade commandant, je vous conseille de mettre votre poste de T.S.F. hors d'état de servir avant qu'on n'ait fait venir un spécialiste pour le raccommoder.

— Vous avez raison... Avec madame Irina Mouravieff, on ne saurait prendre trop de précautions.

Cinq minutes plus tard, les trois Russes et moi, nous sortions du sémaphore pour gagner l'extrémité de la jetée. Les feux du yacht étaient toujours en vue. L'espoir, comme un bain tiède, détendait nos nerfs crispés. Lobatchof, avec son oreille exercée de marin, perçut, le premier, le bruit du moteur dans la nuit.

— Le canot vient... Ils n'ont pas allumé leur fanal, par prudence... Voyez là-bas, cette gerbe d'écume sous la lune... C'est lui...

Bientôt le canot blanc vira à l'entrée du bassin et vint accoster le long de la jetée. Il y avait deux personnes à bord ; deux silhouettes noires, celle du pilote et celle sans doute du capitaine du yacht. Je fis les honneurs de l'échelle de fer à mes compagnons d'évasion :

— Ivanof, descendez le premier... Commandant, c'est votre tour... À vous maintenant, Chapinski...

Ils sautèrent tous les trois dans le canot. Je m'y laissai glisser à mon tour, prêt à remercier déjà le capitaine du *Northern Star*. Mais deux bras s'ouvrirent. Une voix qui tremblait d'angoisse murmura :

— Gérard !

J'avais reconnu Griselda. Mon émoi fut si intense que je me laissai tomber littéralement contre elle. La joie faisait éclater mon cœur. Mes paupières closes s'irradiaient de points lumineux. Le frisson de la résurrection à la vie et à l'amour courait le long de ma peau. Je m'accrochais à Griselda comme le naufragé s'agrippe au sauveteur qui vient de l'arracher à la mort. Défaillant, je la serrais à lui faire perdre haleine, humant son cher parfum retrouvé, respirant la fragrance inoubliée de ses cheveux blonds. Tout à coup, je sentis ses lèvres se poser sur mes lèvres. Elle baisait ma bouche passionnément, malgré ma saleté, malgré ma barbe de huit jours, malgré ma tête de forçat évadé... Son baiser me rendit toute ma connaissance.

Tandis que j'étreignais dans les miennes ses petites mains que j'avais tant appelées, elle ordonna au pilote de rallier le yacht. Mes trois camarades s'étaient assis à l'avant du bateau. Ils ne parlaient pas, par discrétion. L'étrave du canot fendit la mer laiteuse et laissa fuser de chaque côté une pluie de gouttes phosphorescentes.

— Messieurs, dis-je alors, nous ferons les présentations à bord du *Northern Star,* quand nous aurons regagné cet asile flottant où les règles de la civilité occidentale reprendront toute leur valeur.

Le voyage fut court. Bientôt, nous montâmes sur la coupée du yacht où monsieur et madame Maughan me souhaitèrent la bienvenue. Le capitaine conduisit mes trois compagnons dans leur cabine respective et sur leurs instances mit sans plus tarder le cap sur Constantinople. Ils avaient hâte, autant que moi, de sortir au plus tôt de la limite des eaux territoriales et d'échapper aux perquisitions éventuelles d'un patrouilleur de la flotte rouge.

∽

La baignoire de Griselda fut pour moi un petit coin du paradis terrestre. Tandis que je me rasais avec le Gillette de Maughan, Griselda, assise près du miroir, écoutait le récit hâtif de mon aventure. Elle conclut :

— Gérard, je ne pense pas avoir vécu de telles angoisses depuis dix ans ! Ce premier message sans fil m'avait d'abord alarmée... J'avais cru réellement que vous étiez malade à Nikolaïa... Et l'idée de vous savoir seul, sans soins, abandonné dans cette bourgade caucasienne, me faisait tant de peine que je comptais les heures nécessaires à couvrir la distance entre Trébizonde et Nikolaïa... À onze heures du matin, nous arrivions donc en vue du port... J'envoyai notre ami Maughan en éclaireur à bord du canot. Jugez de ma surprise quand je le vis revenir vingt minutes plus tard avec un Russe à mine patibulaire qui l'avait supplié de le conduire sur-le-champ auprès de la princesse Séliman. Cet homme, qui m'avait plutôt l'air d'un convict en rupture de ban, me fit alors, tête à tête, un compte rendu de vos avatars qui me bouleversa. Quand j'appris que vous étiez incarcéré, exposé à la vindicte d'une révolutionnaire russe et menacé d'être fusillé le soir même, je faillis perdre connaissance. Mais vous savez que je me ressaisis vite devant le danger. Les renseignements que m'apportait Ivanof étaient trop précis pour qu'il les eût inventés. Je devinai en lui un allié et me fiai entièrement à ses conseils. Il m'exposa alors que la seule chance de salut qui nous restait, c'était d'acheter la conscience de Chapinski avec cinquante mille dollars. Je lui répondis que j'étais prête à en donner dix fois plus pour vous sauver. Il partit à bord du canot automobile et revint le soir même, vers six heures, avec Chapinski. Tandis que ce dernier nous attendait sur le pont, Ivanof vint me trouver dans mon petit salon et en deux minutes me résuma la situation : « J'ai réussi à tenter le délégué de la Tchéka locale... Je lui ai dit que s'il favorisait l'évasion du prince vous lui verseriez cinquante mille dollars. Il a accepté à condition que vous lui facilitiez sa fuite à l'étranger. » Naturellement, je promis à Ivanof de le faire. Il ajouta : « — Maintenant, où sont les dollars ? — Je les ai préparés dans cette serviette, répliquai-je. Seulement, une chose m'inquiète... Si je les remets tout de suite à Chapinski, qui nous dit qu'il ne les prendra pas et que nous ne le revenons jamais ? » Ivanof m'expliqua aussitôt : « Il faut employer un vieux moyen courant en Sibérie. Nous allons couper ces billets par la moitié, avec des ciseaux... Vous en donnerez une moitié à Chapinski, et vous garderez l'autre. Quand il vous aura rendu le prince Séliman sain et sauf, vous lui verserez le complément des billets mutilés... Vous aurez ainsi un gage de la bonne foi du tchékiste, puisque ces dollars seront pour lui inutilisables tant qu'il n'aura pas accompli sa mission jusqu'au bout. » L'idée d'Ivanof était excellente. Il m'amena Chapinski avec qui nous tombâmes d'accord. Je lui comptai ses demi-bank-notes et je le laissai partir, convaincue qu'il tiendrait sa promesse. Mais vers dix heures, au moment où le capitaine allait envoyer le canot à terre, l'opérateur de T.S.F. nous fit savoir qu'on l'appelait de Nikolaïa... Plus morte que vive, je le suivis avec le capitaine dans sa cabine d'émission. Il transcrivit le message du gardien du sémaphore qui nous enjoignait d'aller à Batoum. Ce message était signé Ivanof. Un tel changement de programme nous plongea dans la plus profonde perplexité... Pourquoi irions-nous à Batoum, si vous étiez libéré par les soins de Chapinski, quand il était si simple de vous prendre dans le port de Nikolaïa ? Le capitaine flaira quelque chose de louche. Monsieur et madame Maughan, consultés, n'osaient pas affirmer qu'il avait tort. Moi-même, j'étais torturée par le doute. Valait-il mieux rester là ou bien obéir à l'étrange suggestion d'Ivanof ? Une demi-heure durant, nous discutâmes. À la fin, je décidai le capitaine à lever l'ancre, car, après tout, il eût été trop tragique de vous manquer là-bas parce que nous avions mal interprété le radiogramme. Le yacht virait déjà sur son ancre quand un deuxième message arriva, ainsi conçu : « Message précédent annulé. Dispositions changées. Venez immédiatement chercher malade sur la jetée. Extrême urgence. Ivanof. » Le capitaine interrompit aussitôt la manœuvre et fit mettre le canot à la mer... Vous savez le reste.

Pendant que je m'habillais d'un complet de flanelle bleu marine obligeamment prêté par Maughan, je donnai à Griselda la clef du mystère en lui racontant l'intervention inattendue de madame Mouravieff. Elle frissonna à la pensée que cette petite dame de Moscou avait failli me reprendre pour me livrer quand même au bourreau. Mais j'apaisai le choc en retour de cette émotion nouvelle en prenant Griselda dans mes bras et en baisant encore une fois ses lèvres qui ne se dérobaient plus.

∾

Tous les passagers du yacht se retrouvèrent devant un souper froid servi dans la salle à manger. Je tins la promesse que j'avais faite à mes camarades d'évasion et je les présentai successivement à Griselda :

— Monsieur Ivanof... un pianiste virtuose qui a longuement fréquenté les geôles russes... Le commandant Lobatchof, de la marine impériale, rétrogradé par les Soviets aux fonctions plus modestes de gardien de sémaphore... Le camarade Chapinski, ex-délégué de la Tchéka à Nikolaïa... communiste d'hier, capitaliste d'aujourd'hui.

Mes amis sourirent, Chapinski le premier. Ivanof s'était incliné gracieusement devant la princesse. Lobatchov l'avait saluée, la main à la hauteur du front. Chapinski s'approcha, joignit les talons, baisa, comme un abbé du XVIIIe siècle, le poignet de Griselda et dit :

— Camarade princesse, je vous présente ce soir pour la première et la dernière fois mes hommages écarlates et égalitaires, puisque demain j'adorerai ce que j'ai brûlé depuis bientôt quatre ans !

On ne pouvait se convertir avec plus de désinvolture... Nous prîmes place à table au moment où le capitaine descendait de sa passerelle. Il nous annonça gravement :

— Nous venons de franchir la limite des eaux territoriales...

Et se tournant vers les trois Russes, il ajouta :

— Vous êtes maintenant, messieurs, sous la protection du pavillon américain et nul commandant de navire soviétique n'a plus le droit de vous arrêter.

Ivanof, Chapinski et Lobatchof se levèrent et, tournés vers la princesse, ils vidèrent leur coupe en l'honneur du drapeau étoilé. À deux heures du matin, nous quittâmes la salle à manger. Dans le couloir – hublots cernés de cuivre sur acajou moiré – je m'arrêtai devant le seuil de l'appartement de Griselda et lui demandai :

— Chérie, voulez-vous m'indiquer ma cabine ?

Elle me montra simplement la sienne et répliqua avec un sourire charmant :

— *Darling,* pourrez-vous vous accommoder de cette cellule, après votre prison de Nikolaïa ?

J'enlaçai Griselda et nous nous enfermâmes chez nous. Les turbines du yacht vibraient sourdement. La coque tanguait à peine sur la mer tranquille. Nous regardâmes le ciel pur, clouté d'étoiles, traversé par l'écharpe lumineuse de la Voie lactée. Les cheveux dorés de Griselda frôlèrent ma tempe. Ma main s'arrêta sur sa gorge impatiente. Elle me demanda :

— À quoi pensez-vous, Gérard ?

Je répondis :

— À la très douce, à la très bonne, à la très sainte madame Mouravieff qui m'a familiarisé avec la mort et qui m'a rendu l'amour de la seule femme que j'aie jamais aimée.

16

Monaco. Le *Northern Star* était à l'ancre dans le bassin, à côté du yacht du prince. Nous avions déjeuné à bord, sous la tente rayée d'orange et de bleu. À gauche, le casino dressait son gâteau de riz tarabiscoté, dans la garniture d'angélique des palmiers trop verts. La montagne s'estompait en grisaille sous la buée chaude avec les taches d'ombre mouvante des nuages qui passaient. Là-bas, les cubes roses des maisons de La Turbie semblaient fondre sous le soleil, comme des glaces à la framboise devant un radiateur.

Griselda et Ruth Maughan étaient allées à terre pour faire du shopping. Elles rentreraient tout à l'heure avec une cargaison de rouge, de poudre, de carmin pour les lèvres, d'épingles neige, de parfums très chers et de lotions anglaises dans des bouteilles hexagonales ornées de profils de déesses grecques.

Monsieur Maughan était descendu chercher des cigares dans sa cabine. Je me laissais bercer par le va-et-vient de mon *deck-chair*. Douceur de revivre. Quiétude parfaite. La vie est si belle quand on a frôlé les phalanges froides de la Mort à l'affût... J'évoquais notre fuite à travers la mer Noire. Mes adieux à Lobatchof et à Chapinski devant la Corne d'Or. Car celui-ci, lesté de bank-notes, a voulu refaire sa vie à Constantinople. Bolchevik par accident, businessman par voca-tion, il sera demain changeur à Péra, tenancier de dancing à Berlin ou importateur de caviar à Londres. Lobatchof, un sage, nous a quittés aussi. Mais il regrettait comme Candide son petit sémaphore où, dans l'ombre des pavillons du code maritime, il cultivait Pouchkine, Emerson et Schopenhauer. Il se retirera dans une maison minuscule de Disdarié, mouchetée de roses rouges, et ceinte d'arbousiers nains. Face au Bosphore, qui incite à méditer, il rêvera des temps à jamais révolus où l'on ne crachait point encore dans les couloirs du palais d'Hiver, où les mains sales des gardes rouges ne souillaient pas les Gobelins de la belle Kchessinskaïa, où les chambres virginales de l'Institut Smolny n'étaient pas hantées par des matelots avinés ou des dic-tateurs au front bas.

Mon ami Ivanof, mon libérateur, était resté à bord sur les instances de Griselda qui avait pro-mis d'organiser un concert pour lui au Carnegie Hall, à New York. Assis au piano, il avait charmé les heures de notre traversée, et mis en musique ma seconde lune de miel avec Griselda.

Le steward vint interrompre le cours de mes pensées :

— Un télégramme pour vous, Sir... Jenkins arrive de la poste restante.

C'étaient sans doute des nouvelles de Lady Diana à qui j'avais télégraphié de Constantinople un bref résumé de ma mission avortée. J'ouvris le message :

« Ai été surprise au-delà de tout par votre incroyable aventure. Varichkine n'en a pas été moins stupéfait. Vous félicite de tout cœur pour cette heureuse évasion. En principe, notre mariage aura lieu le 26 juin, à moins d'événements imprévus. Demandez à la princesse Séliman de me faire l'honneur d'y assister. Mais, si possible, dès le reçu de ce télégramme, venez au château de Glensloy (Loch Lomond). Voudrais absolument vous voir. Ai remarqué quelque chose qui me donne beaucoup à penser. Tendresses. – Diana. »

Notre ami Maughan parut comme je pliais la dépêche. Il plaisanta :

— Des nouvelles de la belle Irina ?

— Non, mon cher. Lady Diana Wynham nous invite, Griselda et moi, à son mariage avec Varichkine, qui sera célébré le 26 juin, c'est-à-dire dans dix jours exactement.

— Épouser un bolchevik ? Quelle singulière idée...

— Digne de la Madone des Sleepings... Et puis vous oubliez que ce prolétaire russe d'aujourd'hui vaut mieux qu'un grand-duc d'antan puisque, grâce à lui, la concession de Telav va remplir de pétrole leur coupe d'hyménée... C'est même une des ironies savoureuses que le Destin, ce jongleur narquois, aime à nous réserver! Ce communiste, en faisant une infidélité à l'évangile marxien et en trahissant ses camarades pour les capitalistes occidentaux, va, par le truchement de sa future épouse, récupérer une parcelle de la fortune russe nationalisée... Joli coup de deux... Par un effet sur la rouge, il touche la blanche et gagne la partie.

— Comment Lady Diana Wynham, qu'on représente comme un des leaders de la société britannique, comment cette femme qui est belle...

— Mais presque ruinée...

— Enfin, qui est considérée à New York comme une des Trois Grâces de Hyde Park, peut-elle consentir à épouser un suppôt des Soviets?

— Vous ne comprenez pas la situation, mon ami... On ne trouve pas souvent vingt millions de francs de revenus annuels sous les pas d'un vieux beau... Les grands du Royaume-Uni ont été fort éprouvés par la guerre et l'impôt sur le revenu. Lady Diana Wynham, qui ne peut pas être heureuse sans beaucoup d'or, avait donc peu de chances de rencontrer un parti assez riche parmi les célibataires, les veufs ou les divorcés de sa caste. Elle était vouée à épouser, à moins de l'accepter de la main gauche, un parvenu sans grâce ou un multimillionnaire roturier et mal dégrossi... Elle a préféré un vrai bolchevik, un pur démolisseur de la société moderne, un démolisseur rangé de la faucille et du marteau... après fortune faite... Et puis, vous connaissez le goût de Lady Diana pour tout ce qui est étrange, nouveau, original, imprévu... Une grande dame qui, descendant des anciens rois d'Écosse, épouse un communiste dont elle fait le vice-roi du pétrole... Voilà qui est du dernier bateau-citerne !... En faut-il beaucoup plus pour agiter les rédactions des gazettes anglo-saxonnes et faire frémir les câbles transatlantiques sous les ondes croisées des commentaires ? Car vous devinez déjà ce que vos reporters yankees broderont autour de ce mariage... Je vois d'ici les titres sur deux colonnes : « Subite conversion d'un bolchevik amoureux », « Lady Diana Wynham a maté l'hydre rouge », « De Moscou à Piccadilly », « Éros trempe ses flèches dans le pétrole »... J'en passe et de plus sensationnels !

Monsieur Maughan hocha la tête et sourit.

— Vous avez probablement raison ; vous serez témoin d'un mariage qui ne manquera pas de sel et qui rappellera celui de la carpe et du lapin.

— Ces unions-là sont les plus stables.

Des éclats de rire mirent un terme à notre conversation. Griselda et Ruth Maughan rentraient de Monte-Carlo avec d'innombrables petits paquets ficelés de faveurs roses.

— Vieille fille, demanda Maughan à sa femme, vous avez donc razzié tous les parfumeurs monégasques ? On prétend que notre argent à nous autres maris américains se volatilise dans les doigts de nos épouses. C'est juste, mais par le canal des vaporisateurs.

Griselda avait vu la dépêche. Je lui annonçai la nouvelle du prochain mariage de Lady Diana. Elle manifesta le désir d'accepter son invitation puisque dans six jours le yacht aurait rallié Southampton.

Nous venions de nous habiller pour dîner chez Cyro's lorsque le steward m'apporta un second télégramme. Je l'ouvris devant la coupée, et lus ces mots :

« Gérard, je vous supplie de venir immédiatement au château. Varichkine a disparu. Suis désemparée. À vous de tout cœur. – Diana. »

Griselda et mes amis commentèrent ce dernier message dans l'Hispano-Suiza qui nous conduisait chez Cyro's.

— Une fiancée qui perd son prétendant huit jours avant la noce, ce n'est pas de chance, remarqua Griselda qui, confiante en moi, ne manifestait nulle jalousie à l'égard de Lady Diana.

Ruth Maughan plaisanta :

— Le bolchevik reculerait-il devant le Rubicon ?

Son mari surenchérit :

— Il s'est laissé choir dans un puits... Et il n'y a peut-être pas de pétrole dedans.

Je protestai :

— Il faut que la situation soit grave pour que Lady Diana m'envoie ce second télégramme. Car on peut lui reprocher maintes faiblesses, hormis la lâcheté.

Griselda poussa le coude de Ruth et dit en riant :

— Écoutez le paladin !... Jamais je n'aurais

290

supposé qu'il pût prendre un jour avec tant d'ardeur la défense de la veuve et de l'orphelin.

— Hé! hé!... nasilla Maughan, la veuve est charmante. Quant à l'orphelin, attendons que Varichkine soit mort!

Je m'écriai :

— Vous avez tort de plaisanter... Après tout, je ne fais que mon devoir en assistant jusqu'au bout une femme qui a mis sa confiance en moi et qui m'appelle à son secours.

Griselda de sa main gantée tapota ma joue.

— Gérard, nous vous taquinons... Vous savez bien que je ne vous en voudrai jamais d'agir selon les règles de l'honneur et de la loyauté... Je vous permets de prendre le premier train demain matin pour l'Écosse... Nous rentrerons avec le yacht en Angleterre. Je descendrai au Ritz à Londres et vous viendrez m'y chercher pour assister au mariage de Lady Wynham... Si, d'ici là, le fugace Varichkine a été retrouvé!

— Griselda, répliquai-je en caressant son bras, je vous sais infiniment gré de comprendre la situation. Mais vraiment je ne pourrais pas abandonner cette femme quand elle a besoin de moi.

∽

Nous entrâmes chez Cyro's. Une chanteuse russe au diadème scintillant et deux exilés fardés, en veste rouge et bottes de daim blanc, psalmodiaient la *Doubinouchka*. Une bouffée de souvenirs me monta au cerveau... Je regardai

curieusement les dîneurs indifférents qui gri-
gnotaient des carrés d'agneau ou dépeçaient en
silence la hanche écarlate d'une pêche Melba.
Des femmes, un peu plus loin, prenaient des
attitudes hiératiques, le fume-cigarette braqué
vers le lustre, le menton coincé dans l'angle aigu
de leurs paumes à quarante-cinq degrés ; elles
voulaient savourer, comme une liqueur, cette
musique hallucinante. Et moi, je pensais aux
gardes rouges de Nikolaïa, au gorille exécuteur
des hautes œuvres, au malheureux Tchernicheff,
automate pitoyable dont les rouages se brisèrent
devant moi. Et j'eus envie d'interpeller ces gens-
là qui badinaient avec le chant de la mort.
J'aurais volontiers saisi une pelle pleine de boue
afin de les éclabousser, afin de leur rappeler que
la vie n'est pas pour tous les humains un dancing ouvert jour et nuit, où l'insouciance est de
rigueur.

Griselda dut lire ma pensée, car elle me prit
doucement la main et chuchota :

— Gérard... Je vous comprends et je vous aime.

Alors, je la remerciai d'un regard très tendre
et je me calmai aussitôt. Je me rendis compte
de la puérilité de ma révolte brève. Ces gens
étaient les heureux du monde. Ils s'amusaient.
Ils avaient raison. Ils n'avaient rien fait pour être
heureux. Mais ils l'étaient. Ou croyaient l'être.
La formule du bonheur oriental n'est-elle pas
périmée et l'homme heureux d'aujourd'hui n'est-
il point celui dont la femme n'a presque pas de
chemise ?

Je m'assis à côté de Maughan. J'allais lui demander son opinion sur ce grave sujet. Mais il me répondit avec plus d'à-propos qu'il ne pensait :

— Oui, vieux haricot... Quatre martini-cocktails !

∞

À minuit, nous avions regagné le yacht. J'étais déjà couché dans mon lit quand Griselda, en robe chinoise vert amande et géranium, vint s'asseoir sur le bord de mon lit et me demanda :

— Au fond, j'ai peut-être tort de vous laisser aller seul au château de la Belle au bois dormant ?

Elle affectait de plaisanter, mais je devinais qu'elle cachait son inquiétude. Elle glissa ses doigts bagués de perles dans mes cheveux, et reprit :

— Vous avez été son amant ?... N'est-ce pas ?

Je niai. Elle revint à la charge.

— Gérard... Dites-moi la vérité vraie... Je vous laisserai partir quand même, car je suis sûre à présent de vous avoir reconquis, comme vous êtes sûr, vous aussi, que je vous suis revenue, corps et âme... Gérard... Bien franchement... Vous l'avez un peu aimée ?...

— D'affection, oui. D'amour, non.

— Vous savez que depuis deux ans que nous nous sommes quittés, j'ai beaucoup pensé à vous, à la vie, aux crises sentimentales qui parfois séparent des êtres destinés à s'accorder... Je ne suis plus aussi intransigeante que naguère, quand je vous savais à Palm Beach avec ma belle-fille Evelyn... J'ai réfléchi... Je me suis mûrie... J'ai compris la très minime importance des infractions bénignes à la fidélité... J'entends, celles qui n'affectent pas l'amour vrai, l'affection du cœur, profonde, durable, solide comme le diamant... Alors, mon cher Gérard, vous pouvez vous confier à moi qui vous aime définitivement et qui m'en suis aperçue lorsque j'ai su qu'un grave danger vous menaçait... Vous pouvez m'avouer sincèrement que Lady Diana a été une passade pour vous...

— Eh bien, non, Griselda chérie... Aussi curieuse que la chose puisse vous paraître, entre elle et moi, il n'y a jamais rien eu. Les circonstances ne l'ont pas voulu. J'ai conseillé, aidé moralement cette femme... Tout cela par pur dilettantisme... Voilà la vérité.

Griselda fût convaincue. Elle me serra dans ses bras.

— Vous êtes un étrange bonhomme, Gérard *dear*... Il y a en vous de l'aventurier et du Don Quichotte... Vous mêlez avec une déconcertante franchise la loyauté au goût du vice. Depuis deux ans, à New York, on m'a souvent parlé de mon mari en exil. Savez-vous ce que je disais aux personnes qui voulaient vous nuire, aux courtisans qui cherchaient à me faire divorcer et qui ne se doutaient pas que la petite flamme n'était pas éteinte dans mon cœur ? Je leur disais : « Le prince Séliman? C'est le saint Vincent de Paul de l'Agence Cook's. Il vous conduirait à travers les Enfers sans roussir le pan de son manteau... » Est-ce vrai?

— Et vous, Griselda, vous êtes la meilleure des âmes dans la plus jolie des tuniques chinoises... Et pour vous remercier de m'avoir sauvé la vie, je vais vous faire mourir dans mes bras.

— Oh! Djerrrrard!...

Quand Griselda modulait mon nom avec cette intonation de colombe impatiente, je la savais vaincue. Elle échappa pourtant à mon étreinte et courut à l'autre bout de la cabine.

Désappointé, je m'écriai :

— Mais où allez-vous, chérie?

Alors, elle allongea son joli bras velouté comme le sceptre d'une impératrice et répondit gentiment :

— Voyons, Gérard... Je ferme le hublot!

17

J'arrivai sur la rive du Loch Lomond le sur-lendemain, au crépuscule. Le chauffeur de Lady Diana m'attendait à la gare de Tarbet. Sous les feux du soleil couchant, le plus grand des lacs écossais se teintait de mauve, de safran et de vert jade. Cette soirée de juin s'annonçait sereine. Une brise imperceptible passait par endroits sur le lac et lui donnait la chair de poule.

En face, le Ben Lomond érigeait sa pyramide de rocs sauvages, éclaboussée de pourpre et d'or.

— Le château est loin ? demandai-je au conducteur.

— Non, monsieur... Un mille et demi, dans la direction de la chute d'Inversnaid, mais sur la rive orientale du loch.

Et avec une sorte de fierté, le chauffeur ajouta, en déclenchant le démarreur :

— Nous sommes du côté des Macfarlanes.

Je me souvenais de la longue vendetta qui opposa à travers l'histoire d'Écosse les Macfar-lanes et les Macgregors, au temps où les chefs de clans maniaient trop fréquemment la claymore et le dirk ! Je demandai encore :

— Où sont donc les Macgregors ?

— En face, monsieur... sur la rive ouest du lac.

— Alors, l'eau du lac était une sorte de *no man's water* entre les tranchées ennemies ?

Le chauffeur grimaça un sourire de biais :

— Oui, monsieur... La surface du loch était à tout le monde... C'est-à-dire à personne... Ou plus exactement à Rob Roy, dont vous verrez la caverne au nord de l'île Wallace et qui écumait les eaux du loch avec méthode et discrétion.

— Vous êtes écossais pour connaître si bien la région ? Le chauffeur grimaça un sourire plus épanoui et dit :

— Non, monsieur. Je suis belge. Mais ma femme est née chez les Macfarlanes.

L'auto passa sous une voûte de pierres grises, scellées de mousse et de lichen et s'insinua entre deux vastes pelouses festonnées d'iris noirs. Le château de Glensloy venait de m'apparaître, médiéval et déjà bleu par les ombres du soir. Deux tours carrées avec des arcs romans et des créneaux du plus pur style baronial. Entre les deux tours, plus bas, le corps principal percé de hautes baies à guillotine. Çà et là, lèpre de verdure, du lierre en archipels touffus. Je remarquai que la tour de gauche, au troisième étage, avait deux fenêtres dont les lumières étaient tamisées par des rideaux écarlates. On eût dit un visage rectangulaire et fantastique qui dardait ses yeux rouges sur la pelouse fleurie. Cette vision, si j'avais été superstitieux, m'eût semblé de mauvais augure. Mais je ne crains ni les échelles, ni les treizièmes chaises, ni les salières renversées, hormis sur les clavicules des douairières trop décolletées.

Le chauffeur vira dans l'allée, entre deux champignons d'ifs et s'arrêta au bas d'un large escalier. En haut, sur la terrasse, Lady Diana m'apparut, dans un tailleur de flanelle blanche, une écharpe de cachemire ocre jaune et vieux rouge et coiffée d'un feutre d'homme. Elle agita une canne et me héla.

— Hello, Gérard! Je vous guette depuis une heure... Je gravis les marches, deux par deux, et baisai ses mains tendues.

— Je suis désolé de vous avoir fait attendre, *my dear*... Mais entre nous, il s'en est fallu de bien peu que vous ne m'attendissiez toujours!

— Pauvre chère vieille chose... Vous avez risqué la mort pour moi. Ça, je ne l'oublierai jamais... Je suis si heureuse de vous revoir ici... D'abord, parce que vous êtes sorti sain et sauf de cette déplorable aventure; et puis, parce que votre présence, ce soir, me réconforte plus que vous ne vous en doutez... Ah! Gérard!

Elle soupira.

— Mais que se passe-t-il? Votre télégramme adressé à Monte-Carlo m'a donné de l'inquiétude.

Elle m'emmena vers l'autre extrémité de la balustrade de pierre, pour causer plus à l'aise.

299

La face occidentale de la terrasse donnait sur le lac que la brume du soir envahissait déjà. À droite, la pyramide rocheuse du Ben Lomond se teintait à présent de violet épiscopal. À gauche, le faisceau d'arbres de l'île Wallace, surgi au milieu des eaux comme un paquet de végétation oublié entre les deux rives, évoquait le souvenir héroïque de l'Écossais fameux.

Lady Diana voulut d'abord connaître en détail les péripéties de mon voyage au Caucase. Quand j'eus satisfait sa curiosité, elle parla :

— Vos malheurs, Gérard, m'aident à mieux comprendre ce qui s'est passé ici... Mais laissez-moi vous exposer les faits dans leur ordre chronologique. Quand nous nous sommes dit adieu, à Berlin, je suis partie pour Londres où, huit jours plus tard, Varichkine est venu me rejoindre. Il était alors plus amoureux de moi que jamais. Il prenait mes carpettes pour tapis de prière et gerçait la peau de mon poignet à force de le baiser... Vers le 5 ou 6 juin, étonnée de n'avoir aucune nouvelle de vous, lasse de télégraphier à Nikolaïa, je me rendis chez Sir Éric Blushmore, le futur vice-président de mon conseil d'administration, et lui demandai s'il avait obtenu un rapport de son ingénieur-conseil. Il me répondit que les renseignements fournis par monsieur Edwin Blankett étaient excellents, que l'affaire de Telav se présentait sous les meilleurs auspices et que la constitution de la société au capital de dix millions de dollars n'était qu'une question de jours. On me verserait pour prix de ma concession la moitié plus une des actions émises. Je représenterais donc sur le marché du pétrole un capital de près de cent millions de francs. Avec cela, je pouvais voir venir le vent du nord et manger du bacon tous les matins sans être taxée de prodigalité... Un peu fatiguée par ces événements, mais pourtant confiante dans l'avenir, je résolus d'attendre au château de Glensloy votre retour du Caucase, pour acquitter ma dette envers Varichkine, c'est-à-dire lui accorder ma main. Mon prétendant me demanda la permission de me suivre. Il eût été malséant de quitter mon fiancé alors que notre union devenait imminente. Je le reçus ici.

Lady Diana s'était rapprochée de moi. Plus bas, comme si elle craignait qu'on entendît ses paroles, elle continua :

— Écoutez-moi bien, Gérard... Cela se passait le 8 juin... Le lendemain, Varichkine reçut son courrier de Berlin et avant le déjeuner, il me demanda : « Diana, êtes-vous toujours sans nouvelles de Séliman ? » Ma réponse affirmative lui donna de l'inquiétude. Et comme je cherchais une explication à ce mystère, il m'avoua qu'il n'était pas sûr que votre passeport vous protégeât efficacement. Une pensée aussitôt m'obséda et je m'écriai : « Madame Mouravieff ? » Il eut un geste évasif qui ne fut pas pour me rassurer... Attendez... Le lendemain, je recevais votre longue dépêche de Constantinople qui me libéra enfin de mon anxiété. Je la communiquai à Varichkine. Il la relut plusieurs fois et soupira :

« Le malheureux ! Il l'a échappé belle... » Trois jours durant, Varichkine me sembla moins préoccupé de me courtiser que de commenter avec moi chaque ligne de votre extraordinaire récit. Il me fit comprendre que madame Mouravieff venait de démasquer ses batteries en ouvrant les premières hostilités sur votre personne et que sa vindicte s'étendrait sûrement jusqu'à nous... D'autant plus que votre évasion si inattendue aurait pour conséquence d'aggraver la fièvre de vengeance.... L'attitude de Varichkine me donnant à penser, je lui déclarai l'autre soir : « Enfin, mon cher, avez-vous peur de votre maîtresse ? Oui ou non ? » Il caressa sa petite barbe noire et de sa voix chantante, il répliqua : « Pour moi, non... Pour vous, oui... Irina est déchaînée. Qui sait de quoi elle sera capable !... Croyez-moi, Diana, il serait plus prudent que nous quittions votre résidence officielle et que nous nous cachions quelque part, hors du Royaume-Uni, en France par exemple, où nous nous marierions discrètement... Plus tard, avec le temps, les choses s'apaiseraient et je ne vous aurais pas exposée à un danger réel que je pressens et qui m'inquiète. » Je m'insurgeai à la pensée de fuir cette Russe sans importance... Moi, me cacher par peur de la Mouravieff ? Me marier honteusement par crainte de cette sale petite bolchevik ? Je répondis à Varichkine : « Mon cher, votre Irina a peut-être le droit de vie ou de mort sur les malheureux contre-révolutionnaires qui lui tombent sous la griffe dans les sous-sols de la Tchéka ;

mais je vous assure bien qu'elle hésiterait à molester une Wynham sur le territoire britannique... Chez nous, on pend les personnes qui ne respectent pas la vie d'autrui... Notre jury n'a pas pour les criminels, même lorsqu'ils agissent sous l'empire de la passion, la stupide indulgence des jurés français qui, en acquittant les coupables, encouragent sciemment l'abus du revolver ou du couteau... Je resterai donc à Glensloy. Nous nous y marierons le 26 de ce mois, dès que Séliman sera rentré pour me servir de témoin, et nous négligerons les pauvres rancunes de cette redresseuse de torts qui a mal digéré la *Justine* du divin marquis. » Dès lors, Varichkine ne me parla plus de sa maîtresse. Il semblait même avoir oublié qu'elle existât et il ébauchait avec moi des projets délicieux lorsque, avant-hier matin, quand je me réveillai vers neuf heures, je priai Juliette de prévenir monsieur Varichkine que nous irions avant le lunch faire un tour sur le lac. Juliette me regarda étonnée et me dit : « — Milady ne sait pas que monsieur Varichkine est parti ? — Comment ? Il est déjà dans le parc, à cette heure-ci ? — Mais non, Milady. Un télégramme est arrivé pour lui, à huit heures. Il a aussitôt donné l'ordre au chauffeur de le conduire à Glasgow afin de prendre le premier train pour Londres. » La stupéfaction m'empêcha de rien répliquer. Juliette sortit. Elle revint cinq minutes plus tard. Edward, mon maître d'hôtel, lui avait remis une enveloppe adressée à moi. Elle contenait un bref message de Varichkine écrit au crayon dans lequel il m'informait que sa présence à Londres était urgente et indispensable, que je ne devais nullement m'inquiéter, qu'il me télégraphierait de là-bas et serait de retour dans quarante-huit heures, c'est-à-dire hier... Or, mon cher Gérard, non seulement Varichkine n'est pas revenu, mais je n'ai rien reçu de lui depuis son départ. Qu'en pensez-vous ?

Que pouvais-je inférer de sa disparition ? J'eus le pressentiment qu'elle était de mauvais augure, mais ne voulus point accroître les craintes de Lady Diana.

— Les fiancés russes sont généreux, dis-je simplement. Il est allé chercher à Londres le cadeau de noces qu'il vous destine.

Le crépuscule avait envahi le parc. Le Ben Lomond avait perdu son chapeau de cardinal. Comme le vent se levait, Lady Diana me prit par le bras.

— Mon pauvre Gérard, vous avez faim, n'est-ce pas ? Allons dîner.

La salle à manger du château était si vaste qu'hormis la table centrale sous la projection conique du lustre de fer forgé, le reste s'estompait dans la pénombre. On distinguait à peine les sangliers de laine courant sur la trame usée des tapisseries, non plus qu'une page manuscrite de Sir Walter Scott dans un petit cadre d'or entre les deux hautes fenêtres, et qu'une grande toile, au-dessus de la cheminée, un portrait en pied du troisième duc de Kilmorack, colonel honoraire du 34e régiment de Cameronians.

Lady Diana avait échangé son tailleur contre un déshabillé rose thé bordé de cygnes. Quand elle parut sur le seuil de la bibliothèque dans le cadre de la porte ogivale, je m'écriai :

— La Dame du Lac !

Elle sourit. Elle celait sous son ironie l'inquiétude qui la hantait.

— C'est l'écriture de Sir Walter Scott, sur le mur de la salle à manger, qui vous suggère cette comparaison ? fit-elle. Vous devriez dire : la Dame dans le lac...

— Pourquoi donc ? Tout est pour le mieux et la fortune va vous sourire de nouveau. Varichkine rentrera de Londres avec un diamant – un de plus ! – qui ornera votre dextre, tandis que votre annulaire gauche se parera d'une nouvelle alliance... Ce mariage vous satisfait toujours, n'est-ce pas ?

— Une rançon peut-elle véritablement plaire, Gérard ?

— Vous m'avez dit à Berlin que votre Russe vous avait séduite.

— J'en suis moins sûre à présent... Il avait alors pour moi le charme du nouveau. Je m'amusais de lui... Les fauves ont des boules dans leurs cages pour jouer... Je jouais... Et puis quand on n'a plus rien, on fait volontiers des promesses folles... L'échéance semble si lointaine qu'on ne l'aperçoit même pas à l'horizon... Puis le jour approche, où il faut payer sa dette... Alors, on est moins enthousiaste et on mesure du regard le fossé qu'on va franchir... Varichkine m'apporte la fortune, c'est vrai... Mais je la recevrai, résignée, dans la chambre nuptiale... Et l'on ne comptera sur la terre qu'une épouse de plus et qu'une femme heureuse de moins.

— Est-ce la mésalliance qui vous choque ?

— Non. Mieux vaut être le premier à Moscou que le second au Stock Exchange !...

— C'est l'homme ?

— Non.

— Alors ?

— C'est l'humiliation de mettre pour la première fois mon corps en vente... Varichkine, passade entre deux trains, m'aurait plu... Varichkine marquant ma hanche d'un timbre pour solde de tout compte, cela m'irrite... Comprenez si vous le pouvez !

— Je comprends, Lady Diana.

— Vous savez, mon cher Gérard, je me suis offert de nombreux amants... La Madone des Sleepings n'a pour auréole que le cercle vicieux de ses caprices et pour chapelle que les chambres de luxe des grands palaces... Je n'ai jamais gravi d'autre calvaire que l'escalier moelleux du Ritz quand l'ascenseur ne fonctionnait pas et mes rois mages ne m'ont jamais offert des perles sur le seuil d'une étable... Je ne prétends nullement honorer la Vertu, ni me vêtir d'une robe de bure, quand Patou invente de si jolis drapés et Guerlain des parfums si savoureux... Mais jamais je n'avais jusqu'à présent monnayé mes frissons, ni spéculé sur mes baisers. Alors, je me sens grièvement froissée et mon orgueil souffre parce que, pour la première fois de ma vie, le 26 juin, moi, Winifred-Grace-Christabel-Diana, Lady Wynham of Glensloy Castle, dont une ancêtre, la comtesse de March, dite Agnès la Noire, résista dix-neuf semaines aux assauts des Anglais sous les ordres de Salisbury, derrière les murailles du château de Dunbar, je vais abdiquer ma fierté, amener mon pavillon au seuil de mon alcôve, et, innovation cruelle, recevoir quelque chose d'un homme, au lieu de lui donner...

J'écoutai Lady Diana parler avec attention... Avec admiration aussi. Sa morgue d'Écossaise bien née n'était pas déplaisante. Son amour-propre exacerbé ne prêtait point à rire. Mentalement, j'évoquais sa très prochaine union avec ce prolétaire, parvenu à la suite d'un coup de dés sur le zinc de la Démagogie. Je la voyais mariée avec ce Varichkine, dont les ancêtres, au lieu de régner sur les clans des Highlands, erraient, nomades incultes, dans les plaines du Turkestan. Ces chevilles racées d'antilope légère, ce visage affiné, au port si hautain, ces grands yeux, lumineux de perspicacité et de compréhension avertie, tout cela paierait la possession de l'or et du luxe, indispensables à sa vie comme la chaleur est nécessaire à l'oiseau des îles et la serre à l'orchidée.

— Avez-vous donc toujours donné ? repris-je en caressant de la main le cygne de sa manche flottante.

Elle me répondit gravement :

— Toujours... Jusqu'à présent, j'avais eu pitié

des femmes innombrables qui mettent leur point d'honneur à tirer beaucoup du portefeuille de leurs amants... Être payée par un homme – quelle que fût l'élégance du geste –, être rétribuée, être le fournisseur charmant du client masculin, recevoir l'aumône avant d'ouvrir la couche, quelle dégradation pour la femme!... Demandez-le à mes amants... Jamais je n'ai voulu accepter d'eux un bouquet de six pence... Quand ils m'envoyaient des roses ou des joyaux, je les leur retournais avec ma carte et ces mots : « Ni fleurs ni cadeaux » afin de bien leur faire sentir qu'ils étaient mes inférieurs, mes obligés et que je n'entendais point que l'ordre des facteurs changeât... Maintenant, je vais rentrer dans le rang des asservies et des domestiquées en devenant l'épouse soumise et reconnaissante d'un homme qui m'aura – indirectement – procuré la richesse sans laquelle je ne puis vivre... Tant pis pour moi.

Et pour lui aussi.

Lady Diana soupira. Elle serra ma main et, presque solennelle, elle ajouta :

— En tout cas, Gérard, je vous le dis sans accent mélodramatique, ni faux orgueil : si jamais mes espoirs ne se réalisaient pas et que les pétroles de Telav ne fussent qu'un mirage, je me tuerais plutôt que de m'enrôler au marché des esclaves blanches. Il me déplairait à présent d'attendre qu'un baron de finance daignât faire mon acquisition et marquât mon épaule nue du sceau de la servitude... Souvenez-vous, Gérard!

Souvenez-vous du rêve que je fis naguère et dont je demandai la clef à l'ineffable et funambulesque *professor* Traurig!... Le petit homme rouge, dans le paysage écarlate de mon sommeil, c'était bien Varichkine dans le décor sanglant de la Russie bolchevique... J'avais eu l'exacte prémonition des événements quand j'avais senti ma main prise au piège de ce palais lilliputien... Je suis en vérité la prisonnière de mon cauchemar puisque si Varichkine m'enrichit je lui appartiens et, si ma ruine est consommée, le suicide me guette... Oh! ne protestez pas... Vous savez bien, Gérard, que je préfère à la lie des calices la mousse des extra-dry et, à l'éloquence de la chaire, le langage muet des voluptés.

Lady Diana se tut... Nous dressâmes soudain l'oreille. Un roulement de tonnerre très lointain se répandait dans les collines. Je me levai et regardai par la fenêtre. La surface du lac s'agitait sous le vent qui brusquement faisait frémir les feuilles, dans le parc. Au sud-ouest, des nuages s'amoncelaient, cachant la lune.

— Un bel orage en marche, dis-je à Diana. La quiétude de cette soirée était insolite... Et la chaleur aussi...

— Quelle heure est-il, Gérard?

— Onze heures...

— Venez dans mon boudoir, au premier. La bibliothèque est lugubre ce soir. Ces livres à reliures anciennes me font l'effet d'une cage dorée.

Lady Diana frissonna. Je mis mon bras affectueusement autour de son épaule et voulus calmer son agitation :

— Vous êtes nerveuse, ce soir, Diana... La chaleur de l'orage imminent, sans doute ?... L'incertitude, au sujet de Varichkine, aussi ?... Mais bah !... Soyez plus sereine : il n'y a plus loin de la coupe de naphte à la Banque d'Angleterre. Vous serez bientôt riche de nouveau. Le reste importe peu...

Nous montâmes l'escalier monumental du château, spirale de pierre grise dentelée de moquette cendrée, tandis que le basson du tonnerre plus rapproché accompagnait notre ascension. Le boudoir, contigu à la chambre, était une merveille de goût moderne dans ce château séculaire. Il y avait surtout, au-dessus de l'immense sofa, un Raeburn admirable que je contemplais en silence.

— On étouffe ici, dit Lady Diana, en levant la guillotine de verre pour laisser entrer le vent d'orage.

En vérité, la bourrasque tiède s'engouffra dans la pièce et colla au corps de Lady Diana le crêpe de Chine de son déshabillé. Elle ressembla tout à coup aux figures de proue des trirèmes méditerranéennes quand elle rejeta la tête en arrière, les bras nus, écartés pour mieux respirer le souffle de la nuit. Elle gémit :

— Ah ! Gérard !... Le bonheur !... Que je meure foudroyée cette nuit si je peux d'ici là le goûter pleinement, absolument !...

Je m'approchai, consolateur :

— Allons, très chère... Pas de grands mots vides... C'est avec cela que les humains s'empoisonnent. Le sage est mithridaté contre l'Absolu.

Nous étions accoudés à la haute fenêtre qui ouvrait sur la terrasse et le lac. Le chaos nocturne de la campagne bouleversée par l'ouragan nous imposa silence. Jamais site plus romantique ne s'offrit à deux humains sensibles aux métamorphoses de la nature. La lune, à la lisière des gros nuages qu'elle ourlait d'argent, éclairait encore les eaux livides du lac. Le Ben Lomond, fantôme immense dressant son poing de granit, semblait défier la tempête, tandis que les grands arbres du parc courbaient leur échine feuillue, attendant l'averse. Un manoir, sur l'autre rive, éclaboussé de lune, avant l'obscurité totale, eût tenté le burin de Gustave Doré lisant les ballades de Robert Burns.

D'instinct, Lady Diana se serra contre moi. Un éclair venait de dessiner les zigzags d'un fil à bâtir sur le drap sombre du ciel. Je murmurai :

— Que sommes-nous devant tout cela ? Rien. Diana, vos désirs sont trop grands pour votre frêle enveloppe... Il faut tuer le rêve, ce ver blanc qui ronge le cerveau...

Mais elle ne m'écoutait pas. Elle m'avait entraîné vers la chambre et devant l'autel de son lit, couvert de brocart azuré, flanqué de colonnes torses de chêne, elle me donna ses lèvres brusquement. Baiser impérieux dont aujourd'hui encore le souvenir délectable est là sur ma bouche... Elle me tenait, elle m'emprisonnait

dans ses bras nus, lianes adorables et persua-
sives.

— Gérard, chuchota-t-elle, je serai sa femme
dans huit jours. Vengeons-nous du destin cruel...
Oublions nos résolutions, nos jeux d'antan, avec
le feu... Nous avons le droit de narguer le sort
qui bientôt m'étouffera sous les lourdes mailles
de son filet... Je vous aime de ne m'avoir jamais
aimée... ou cherché à m'imposer votre désir...
Vous avez été le plus loyal des gentlemen depuis
que je vous connais. Vous avez risqué votre vie
afin que la mienne fût meilleure... Pour la première fois et de grand cœur, je m'offre à un
homme qui est mon égal, et je suis fière d'être
son obligée et je lui ouvre mes bras, sans autre
arrière-pensée que d'être heureuse, totalement.

Elle recula d'un pas, les yeux agrandis par
l'exaltation, le déshabillé ouvert sur sa chemise
transparente et qui portait un chardon de soie,
brodé sur le sein gauche... Le chardon d'Écosse...
Emblème de son pays... Elle me regardait, fré-
missante, madone possédée par le démon de
minuit... Un éclair fusa... Le vent entra par la
fenêtre... La tenture du boudoir remua comme
si un être invisible remuait derrière elle. Je pris
Lady Diana, la portai sur le lit et pensai à une
poupée de chiffon rose, à un oiseau blessé, posé
sur champ d'azur. Son impudeur de naguère
cette fois avait disparu. Elle cachait son visage
dans le creux de son bras plié, elle que j'avais
vue sans voiles à la matinée du Garrick's... Déjà
ma bouche se posait sur sa chair enfiévrée et ses

mains griffaient les reliefs du brocart, lorsque deux coups frappés contre la porte du boudoir nous jetèrent à bas du lit. La voix de Juliette parvint jusqu'à nous :

— On demande Milady au téléphone...

Lady Diana, à peine revenue à la réalité, drapait son déshabillé sur sa chemise froissée. Elle demanda, dolente :

— Oh !... Qui est-ce ?... Mon Dieu, me déranger à cette heure-ci !

— On appelle de Londres, Milady... De toute urgence...

— De Londres ?

Lady Diana reprit toute sa conscience et sortit. Je restai seul dans le boudoir. Des gouttes d'eau commençaient à cingler le gravier de la terrasse. Le vent s'était calmé. La lune avait disparu derrière les nuages. On ne distinguait plus rien. Il semblait qu'un démiurge eût renversé une bouteille d'encre sur la gigantesque gravure que nous avions tant admirée... J'attendis cinq minutes... dix minutes... Je m'étonnais que la conversation téléphonique durât si longtemps et j'allais sortir du boudoir, quand des pas précipités résonnèrent au-dehors. Juliette reparut, bouleversée, et m'appela :

— Monsieur !... Que monsieur vienne vite !...

Je la suivis précipitamment. Elle me conduisit dans un petit salon rose, au rez-de-chaussée, éclairé par une coupe, méduse coraline suspendue au plafond. En travers du tapis, près de l'appareil téléphonique renversé, je découvris

313

Lady Diana qui gisait, les bras étendus, comme morte.

Et la pluie tombait, régulière, monotone, contre le bois des contrevents.

18

Je me penchai aussitôt sur son cœur. Il battait faiblement. Mes craintes s'apaisèrent. Je me tournai vers Juliette et dis :

— Lady Wynham n'est qu'évanouie... Apportez vite de l'éther et du brandy.

Je m'efforçai de la ranimer. Elle reprit peu à peu connaissance et encercla mon cou, comme une fillette apeurée. Elle pleura. Quand Juliette m'eut donné le verre de brandy, je le fis boire à la patiente qui, dès lors, se remit très rapidement. Elle se leva et murmura :

— Gérard, retournons dans ma chambre... Aidez-moi, voulez-vous ?

Je la pris de nouveau dans mes bras et la portai sur son lit que Juliette venait de préparer. Nous la couchâmes. Quand la femme de chambre fut partie, je questionnai Lady Diana. Elle s'assit contre ses oreillers, et redevenue tout à coup très maîtresse d'elle-même, elle me dit simplement :

— Gérard... je suis définitivement ruinée...

— Oh !

— Je vais vous répéter mot pour mot ce que Sir Éric Blushmore m'a dit dans le téléphone...

« Lady Diana Wynham ? Bonsoir, chère amie... C'est moi, Éric Blushmore... Je m'excuse vraiment de vous importuner à cette heure, mais le directeur des affaires russes au Foreign Office vient de me communiquer une mauvaise nouvelle. On l'a informé officiellement, ce soir, que le Conseil économique des Soviets, revenant sur la signature donnée, annulait la concession de Telav... Ces bolcheviks sont vraiment impossibles !... Mon ami m'a bien promis que le gouvernement de Sa Majesté protesterait auprès de l'U.R.S.S. contre un pareil manquement aux usages internationaux, mais il ne m'a pas caché que les Soviets ne tiendraient nul compte de nos représentations et qu'il serait difficile d'obliger ces gens-là à respecter leur signature. » J'ai demandé à Sir Éric s'il connaissait les raisons de ce brusque revirement. Il m'a répondu : « Il est dû à une influence occulte qui s'est exercée en notre défaveur... À moins que ce ne soit tout simplement un nouveau changement dans la politique économique des maîtres de Moscou... » Voilà, mon cher Gérard, la conversation à la suite de laquelle j'ai perdu connaissance. Je m'excuse de cette faiblesse indigne de moi, mais je crois bien que c'est ma condamnation à mort que m'a signifiée cette nuit Sir Éric...

Je voulus protester, Lady Diana secoua sa tête dans la dentelle de l'oreiller.

— Non... Gérard... Pas de consolations banales...

Pas de condoléances sur les ruines de mon château en Espagne. Je vous ai dit que si cette affaire échouait, je ne chercherais plus à lutter... Je vous le confirme à présent... Je jette le gant et renonce au combat... Laissez-moi seule et merci pour vos soins fraternels...

J'hésitai à me lever. Elle sourit tristement :

— Soyez sans crainte... Vous ne me retrouverez pas morte demain matin... Je me donne encore vingt-quatre heures pour chercher une fin digne de moi... Je rêverai, cette nuit, d'armes à feu, de poignards et de poisons... Je comparerai mentalement les agréments de l'asphyxie, de la noyade ou d'une chute dans l'espace... Mais je vous assure que demain soir avant minuit, j'aurai fait mon choix.

— Diana !

J'étais sincèrement atterré pas la sincérité de son accent. Elle ajouta :

— Vous voyez bien que ma résolution est grave. Suis-je égarée par une crise de désespoir ? Parlé-je comme une exaltée qui a perdu la notion des gens et des choses ? Je vois clair, Gérard... Bonne nuit, mon très cher...

∽

Fatigué, je m'étais enfin endormi après cinq heures d'insomnie, lorsque Juliette vint me réveiller pour me servir mon *breakfast*. Je lui demandai aussitôt des nouvelles de sa maîtresse.

— Milady a passé toute la nuit à écrire, assise

devant son secrétaire, répondit-elle. Il y a encore dans sa chambre une odeur de cire à cacheter. Je suis entrée, il y a un quart d'heure, mais je n'ai pas voulu déranger Milady qui sommeillait... J'attendrai qu'elle sonne pour retourner là-bas.

Je mangeai sans appétit. J'avais ouvert ma fenêtre. Les fleurs, sur la terrasse, offraient leurs corolles encore humides aux rayons du soleil matinal. Le lac scintillait comme un vitrail. Un jardinier, en bas du mur, rythmait le déclic de son sécateur avec un couplet populaire d'Harry Lauder. La nature, après l'orage nocturne, étalait orgueilleusement sa joie de vivre, sous la coupole céruléenne d'un ciel sans tache.

Et cette joie de vivre, dont je ressentais la contagion, me semblait un blasphème dans ce château qui abritait une condamnée. J'avais envie de courir sur la terrasse, de gambader sur les pelouses avec les deux terriers irlandais qui s'y ébrouaient, de sauter dans une barque et d'explorer le rivage ombragé du loch. J'avais envie de vivre et, dans une chambre voisine, une femme qui m'était chère avait envie de mourir. Je voulais humer la senteur fraîche des parterres fleuris et, là-bas, Diana inhalait l'odeur funèbre de la cire dont on cachette les enveloppes fatales...

À onze heures, j'étais habillé. Juliette m'informa que sa maîtresse dormait toujours. Je descendis; je me promenai à travers le parc, et, dans la solitude propice, je préparai la plaidoirie que je ferais tout à l'heure pour persuader Lady

Diana. J'avais tout l'après-midi. Cela me suffirait pour la réconforter, pour lui prouver qu'au fond le mal n'était pas si grand et qu'avec un peu de patience et de persévérance elle se tirerait de cette mauvaise passe.

À deux heures, Lady Diana et moi nous déjeunions tête à tête. Comme elle me semblait rassérénée, j'évitai de parler des événements de la veille. Au dessert elle remarqua tout à coup :

— La disparition de Varichkine est maintenant compréhensible, n'est-ce pas ? Il a appris la nouvelle avant moi et s'est rendu à Londres, dans l'espoir que l'affaire pourrait encore s'arranger.

— C'est l'évidence même.

— Et comme il a échoué, il n'ose pas me télégraphier.

Je voulais encore espérer. J'hésitai à répondre. Elle déclara :

— Pas de chloroforme avant l'opération, Gérard ! Je n'ai pas besoin d'être endormie... J'ai pensé toute la nuit... J'ai pensé, toute seule, le charme de bien vivre et l'humiliation morale de vivoter... Ma résolution est définitive...

— Diana, vous êtes folle... On ne se tue pas parce qu'on n'a plus que cinq mille livres sterling de revenus !... On se tue par amour, en pleine crise passionnelle !

— Quelle erreur, Gérard ! Un homme riche peut se tuer par amour. Une femme pauvre peut se tuer par intérêt... Quel intérêt la vie m'offrirait-elle à présent ? Me prostituer pour essayer de raccrocher un peu des miettes de ma splendeur passée? Non. Non... Ma vie fut belle. Ma mort l'abrégera en beauté. Votre affliction sincère est le seul rayon de lumière sur ma tombe déjà entrouverte et, si j'avais besoin d'une consolation, ce serait de savoir que vous, mon ami vrai qui ne deviez jamais être mon amant, vous m'aurez assistée jusqu'au bout.

～

L'après-midi passa. Mon anxiété croissait d'heure en heure. La radieuse beauté de ce jour de juin me semblait une offense à la mort qui rôdait autour du château. Je me promenais sur la terrasse, inquiet, guettant l'arrivée d'un domestique affolé.

À cinq heures, je pris le thé avec Lady Diana. Elle portait un petit costume de tussor brodé et des souliers de sport. Tous ses joyaux avaient réintégré leurs casiers d'ouate dans sa boîte à bijoux. On ne pouvait pas l'accuser d'afficher un romantisme théâtral, ni de préparer avec emphase une fin de star spleenétique.

Je n'osais plus la sermonner. Elle semblait si loin de toute pensée tragique. Je la retrouvais telle que je l'avais connue, naguère, à Londres : primesautière et presque gaie ; fantasque et réfléchie ; cerveau meublé de contrastes et décoré de paradoxes, par le caprice d'un ensemblier tout-puissant...

Jamais je n'avais vécu des minutes plus douloureuses, hormis dans ma cellule de Nikolaïa.

Je croyais malséant de revenir sur ce thème de mort et je voulais espérer qu'avant la nuit, elle hésiterait. Combien de femmes avons-nous entendues, qui très allègrement jouèrent un soir avec le spectre du suicide et reculèrent heureusement devant l'irréparable ? Lady Diana était femme, après tout.

Quelques minutes durant, je chassais mon inquiétude. Et puis, elle revenait tout à coup. Je savais que la fille du duc d'Inverness ne recelait pas une âme faite en série à l'usine où le Créateur standardise les passions humaines. Torturé par le doute, j'allais tenter une dernière fois de l'arracher à ses pensées morbides quand le ronflement d'une automobile nous parvint.

— Une visite, à cette heure-ci ? Je n'attends personne, dit Lady Diana.

— Votre chauffeur, peut-être ?

— Non. Ma voiture est au garage.

Une silhouette nous apparut au bout de l'allée, entre les ifs et la balustrade. J'eus un mouvement de surprise. Lady Diana, dont la vue était moins perçante, me demanda :

— Qui est-ce ?

— Varichkine !...

J'avais reconnu le Russe qui marchait rapidement vers nous. Une pâleur brève décolora le visage de Lady Diana. Je compris son émoi intérieur... Le retour de Varichkine pouvait être un heureux présage ?... Peut-être avait-il réussi à changer la décision des Soviets ?... Ce serait alors la résurrection de tous les espoirs, le soleil après l'orage.

Je m'étais levé. J'avais hâte de questionner notre visiteur :

— Eh bien, mon cher ami ?...

Varichkine avait baisé rapidement la main de Lady Diana. Puis, sans paroles inutiles, il lui dit :

— Ma très chère. Sir Éric vous a informée, n'est-ce pas ?... J'ai tout essayé pour décider ces brutes à revenir sur leur oukase... Il n'y a rien à faire... Vous allez me dire : « Alors, de quel droit vous représentez-vous encore devant mes yeux ? » Je vous répondrai : « Du droit qu'un galant homme a de protéger celle qui est exposée à un grave danger... » Car j'arrive en automobile de Glasgow pour parer le péril qui vous menace.

— Quel péril ? fît Lady Diana sans manifester la moindre émotion.

— Irina Mouravieff est en Écosse. Un de mes amis du service du contre-espionnage des Soviets à Londres m'a généreusement prévenu. Son passage a été signalé à Stockholm et à Kristiansund où elle s'est embarquée pour Leith...

— Pour Leith ?... Le port d'Édimbourg ? m'écriai-je.

— Oui, elle a été vue à Édimbourg, où elle s'est mise en communication avec notre S.R. de Londres. Sa présence en Écosse n'a qu'un mobile : obtenir de vous une explication définitive. Or, je sais le genre d'explications que l'on peut avoir avec Irina Mouravieff, c'est pourquoi je suis accouru ici. Diana, tant que je serai vivant, elle ne vous importunera pas... Voilà ce que je tenais à vous dire... En dépit de mes efforts, je n'ai pas réussi à vous faire restituer votre concession. Je vous délie donc de votre promesse de mariage. Mais moi, je ne suis pas quitte envers vous. Par ma faute, une adversaire dangereuse vous guette. Je reste à votre côté pour parer les coups.

Les paroles de Varichkine étaient celles d'un homme loyal. Lady Diana lui en sut gré :

— Merci, Varichkine. Votre conduite me touche, car elle vous fait honneur. Mais Gérard vous dira ma résolution et vous comprendrez que les intentions de la Mouravieff me sont hautement indifférentes...

Comme Lady Diana voulait rester seule sur la terrasse, nous descendîmes, Varichkine et moi, du côté du lac. À peine fûmes-nous hors de portée de voix, le Russe me prit le bras et inquiet me questionna :

— Quelle résolution ?

Je murmurai :

— Le suicide.

Varichkine s'arrêta net sous les arbres qui hésitaient dans la brise du soir. Il répéta, d'une voix gutturale :

— Le suicide ?... Diana voudrait mourir, vraiment ?

Je lui racontai tout ce qui s'était passé au château. Il parut profondément affligé et me dit :

323

— Mon cher, ma douleur est intense, car j'aime Diana. J'ai échoué dans mon désir de lui rendre la fortune, je n'ai donc plus le droit de lui demander qu'elle réponde au sentiment qu'elle m'inspire ; mais je l'aime toujours et rien de ce qui l'affecte ne m'est étranger.

— Je le sais, Varichkine... Pourtant, mon cher, il ne faut pas la laisser une minute seule, si nous le pouvons... Il faut tout essayer pour empêcher cette chose affreuse...

— Ah ! comme je voudrais qu'à nous deux nous l'arrachions à cette funèbre hantise... Mais, j'ai peur... vous la connaissez comme moi...

Varichkine eut un cri de détresse sincère :

— Séliman ! Si elle meurt, je porterai ce crime sur ma conscience et je serai inconsolable... Oh ! je devine ce que vous pensez... J'en ai d'autres qui chargent mon âme de bolchevik impénitent... Certes... Mais c'étaient des crimes politiques... On peut tuer ou faire tuer pour une idée... On ne doit pas laisser mourir une femme pour un peu d'argent... Non, non !

Notre ardente conversation nous avait conduits au bord du lac, rougi par les reflets du couchant. Cette rive idyllique et charmante n'avait peut-être pas encore reçu l'écho de propos si graves. À mesure que nous avancions, Varichkine s'exaltait ; il commentait la vie et la mort avec une sensibilité déroutante chez ce barbare qui, hier encore, dans un cabinet particulier du *Walballa*, à Berlin, piquait par sadisme la gorge des belles de nuit.

Je m'arrêtai tout à coup au bord d'une roche et regardai la terrasse de Glensloy.

— Varichkine, ne nous éloignons pas trop... Vous avez raison... Il ne faut pas la laisser seule...

Il fit volte-face.

— Oui... Oui... Remontons... Nous n'aurions pas dû la laisser méditer.

Nous hâtâmes le pas et regagnâmes le coin de la terrasse où, Lady Diana et moi, nous avions pris le thé. Elle n'était plus là.

— Serait-elle déjà rentrée au château ? demanda Varichkine inquiet.

— Je l'espère...

Je lui montrai les fenêtres de la bibliothèque. Des lumières brillaient.

— Elle est là... fis-je, soulagé.

— Allons, vite... Ne la quittons plus... C'est une malade qu'il faut veiller.

Varichkine partit à grandes enjambées. Nous gravîmes les marches, flanquées de lions de pierre, à la gueule rongée pas les intempéries, à la crinière piquée de mousse. Varichkine poussa la porte de la bibliothèque. Nous entrâmes. Et nous demeurâmes sur le seuil... Lady Diana et Irina Mouravieff étaient face à face.

19

Le tableau est resté gravé pour jamais dans ma mémoire... Irina Mouravieff devant la fenêtre du milieu... Costume de voyage et chapeau de daim; les mains dans les poches de sa veste croisée... Lady Diana indifférente, hautaine, devant la cheminée dont l'âtre porte les armoiries des ducs d'Inverness... Deux tigresses en présence... La fille des Mongols contre la fille des Celtes... Deux races... Deux mondes... Deux femmes...

Varichkine et moi nous n'étions plus que des comparses... des figurants sans importance... Nous n'osions plus bouger...

Lady Diana parla la première :

— Varichkine, vos prévisions étaient exactes... Madame Mouravieff est venue me demander une explication jusque chez moi... Mon maître d'hôtel m'a annoncé tout à l'heure sa visite. Je l'ai fait introduire ici... Je suis entrée à l'instant et j'allais lui demander l'objet de cette démarche quand vous êtes arrivés...

Tandis que je m'étais avancé vers Lady Diana, Varichkine se porta du côté d'Irina. Mais celle-ci, sans rien dire, se dirigea vers la porte que nous venions de franchir ; elle la ferma délibérément et mit la clef dans sa poche. Lady Diana eut un geste de surprise et s'écria :

— Madame, puisque vous agissez déjà chez moi comme en terrain conquis, je vais être obligée de vous faire reconduire par mon domestique... Nous ne connaissons pas encore le régime soviétique sur le territoire du Royaume-Uni et mon château de Glensloy n'est pas encore nationalisé.

Lady Diana avança le bras vers la sonnette électrique. Irina promptement tira un revolver de sa poche et commanda :

— Ne sonnez pas... ou je tire...

Varichkine et moi, nous voulûmes intervenir. Irina pointa vers nous le canon de son arme et continua :

— Ni vous non plus, messieurs... Nous sommes ici pour parler sans témoins, car ce que nous avons à discuter, Lady Wynham et moi, ne regarde personne. Comme vous le dites, Lady Wynham, j'ai traversé l'Europe pour venir vous demander raison de votre conduite... C'est mon droit strict... Vous ne contesterez pas je pense que c'est vous qui êtes venue m'enlever mon amant, le séduire, pour lui arracher sa complicité, c'est-à-dire une trahison à l'égard de ses camarades de Russie, et lui promettre votre main si jamais il réussissait. Il a failli réaliser ce beau programme... Sans mon intervention, vous vous enrichissiez aux dépens de nos prolétaires géorgiens et

327

recommenciez, grâce au pétrole russe, votre vie de luxe effréné, qui est un attentat à la misère du monde... Sachez d'abord qu'après vous avoir donné l'illusion d'un succès trop facile, ma première revanche a été de convaincre mes amis de Moscou de l'erreur qu'ils avaient commise... Je suis bien aise d'y être parvenue, parce qu'il me déplaisait, Lady Wynham, de combler vos vœux en vous tendant ce superflu dont vous avez besoin pour vivre... Cet acte de justice accompli, j'ai tenu à vous voir pour vous déclarer qu'en m'arrachant l'amour de Leonid Vladimirovitch Varichkine, vous avez brisé mon cœur et vous m'avez enlevé ma raison de vivre.

Lady Diana haussa imperceptiblement les épaules. Elle persifla :

— Madame, est-ce moi qui vous oblige à vivre une vie qui vous est odieuse ?

Irina fit un pas vers nous.

— Lady Wynham, nous sommes deux qui nous disputons le même homme. L'une de nous est de trop.

— C'est bien mon avis.

Irina s'était encore rapprochée de sa rivale. Leur altercation devenait tragique. Lady Diana, impassible devant son adversaire, s'exposait sans crainte à sa jalousie furieuse. Irina, le revolver au poing, panthère à l'affût, qui guette deux ombres menaçantes, dardait vers Varichkine et moi des regards brefs. Ses yeux clairs brillaient sous le rebord mat de la toque de peau.

J'interrompis ce dialogue :

— Madame Mouiavieff, l'une de vous deux serait de trop si vous partagiez en effet l'amour du même homme... Mais laissez-moi vous affirmer sur l'honneur que vous accusez faussement Lady Wynham... Monsieur Varichkine n'a jamais été son amant... Demandez-le-lui.

Varichkine s'écria, la main tendue :

— Irina, je vous fais le serment que, Lady Wynham et moi, nous n'avons jamais...

Mais Lady Diana ne laissa pas Varichkine achever :

— Cher ami, fit-elle simplement, pourquoi offrir de faux serments dans le dessein de désarmer le bras de madame Mouravieff ?... Croyez-vous donc que je trouve digne de recourir au mensonge pour tenter d'apaiser sa colère ?...

Je m'étais tourné vers Lady Diana et, subitement, je venais de lire dans sa pensée... Elle allait s'accuser, à tort, pour exalter la fureur de son ennemie et chercher ainsi la mort qu'elle souhaitait. Je voulus parler. Lady Diana m'imposa silence d'un regard. Elle continua :

— Madame, apprenez-le donc par ma bouche : j'ai été en effet la maîtresse de Varichkine... Et je ne comprends pas pourquoi ces messieurs cherchent à vous donner le change. Il ne faut jamais renier ni ses actes, ni ses pensées, ni ses amours... J'ai désiré tout de suite votre amant... Il ne m'a pas moins aimée... Nous avons vécu ensemble à Berlin, à Londres, ici même, des heures merveilleuses auprès desquelles les nuits que vous lui accordiez jadis étaient sans doute bien fades et bien bourgeoises. Je lui ai donné des baisers qui lui ont fait sûrement oublier vos pauvres petits baisers d'étudiante envieuse des grandes dames qu'elle croisait sur son chemin.... Moi, Lady Diana Wynham, fille de rois, je lui ai accordé des caresses que vous, fille de prolétaire et parvenue prétentieuse de la révolution russe, n'auriez pas su inventer... Ah! vous êtes venue me demander une explication, petite mademoiselle, qui faisiez le trottoir quand on égorgeait vos grands-ducs? Eh bien, je vous les fournis, et avec des précisions à l'appui...

Irina regardait Lady Diana comme le fauve qui va bondir. Des lueurs fugitives passaient dans ses prunelles. Les fluorescences de la haine qui va éclater... Elle cria :

— C'est tout?

— Cela ne vous suffit pas de savoir que j'ai tenu dans mes bras votre amant métamorphosé par le bonheur?

— C'est tout?

— Que ses lèvres, lasses des vôtres ont frémi sous les miennes, comme celles d'un agonisant qui revient à la vie et qu'un soir, il a ricané en pensant à vous... à vos croyances imbéciles... à votre apostolat ridicule et odieux?...

∽

Alors, le drame se déroula. Je le revois à présent dans ses moindres détails. Irina est à deux mètres de Lady Diana. Varichkine à droite, devant un vieux meuble en chippendale, orné d'une aiguière d'étain armorié. Moi, à gauche, attendant de seconde en seconde l'issue tragique de ce dialogue.

Les derniers mots de Lady Diana ont enfin déclenché dans le cerveau de la Russe le geste criminel. Elle lève la main droite, au bout de laquelle brille le canon damasquiné d'un petit revolver à manche de nacre. Au même instant, Varichkine, qui, sur le guéridon voisin, s'est emparé d'un bibelot de bronze, le lance vers le bras d'Irina et l'atteint au poignet. Hasard miraculeux ? Adresse prodigieuse ? Le coup part et le canon du revolver dévié par le choc envoie la balle entre Lady Diana et moi.

La douleur a fait lâcher prise à Irina qui laisse tomber l'arme sur le tapis. D'un bond, Varichkine la ramasse, la dirige vers la tempe d'Irina et tire.

Irina Alexandrovna Mouravieff s'écroule, morte sur le coup.

∽

Lady Diana était devenue plus pâle qu'un lys. La stupéfaction, la sensation indicible qu'elle venait de ressusciter la faisaient vaciller. Je me précipitai pour la retenir dans mes bras. Cependant, Varichkine posait le revolver sur le tapis, à côté de la main de la morte. Très simplement, comme un témoin indifférent du drame que nous venions de vivre, il déclara :

— Cette femme vient de se tuer chez vous, Lady Diana. C'est d'ailleurs ce qu'elle avait de mieux à faire après la tentative d'assassinat à laquelle elle s'est livrée sur vous et dont cette balle dans le mur, là-bas, près de ce tableau, sera pour les enquêteurs une preuve des plus formelles... Car nous ne manquerons pas, le prince Séliman et moi, c'est-à-dire deux témoins honorables, de faire notre déposition au coroner qui viendra tout à l'heure... Madame Mouravieff s'est tuée sous nos yeux, par désespoir d'amour, après qu'elle eut tenté de vous assassiner avant que nous ayons pu intervenir pour arrêter son geste fatal... Le revolver, de fabrication russe d'avant-guerre, offrira aux jurés écossais une certitude de plus et, avec ces preuves indiscutables, ils rendront leur verdict habituel : suicide pour cause de folie temporaire.

La tranquillité avec laquelle Varichkine parlait était étonnante. Comme Lady Diana se ressaisissait enfin, il lui demanda :

— J'espère, très chère amie, que vous ne m'en voudrez pas d'avoir orienté ailleurs la balle que le Destin vous avait réservée ?

Lady Diana répliqua :

— Je vous remercie, Varichkine... J'avais cru ce soir trouver le moyen d'en finir élégamment avec la vie... En voyant la main de cette femme se lever vers ma poitrine, j'ai entrevu la mort... Je sais comment elle est et je crois que je ne l'appellerai plus, avant qu'elle ne vienne me chercher.

Lady Diana se dirigea vers la porte. Elle se retourna sur le seuil et, comme on prie la jeune fille de la maison d'emporter le plateau chargé de tasses, elle me dit :

— Gérard... Disposez, je vous prie, du corps de cette femme, pendant que Varichkine téléphonera à la police locale.

La porte se referma. Varichkine réfléchit une seconde. Puis il constata :

— Regardez... La balle s'est logée dans le cerveau... Très peu de sang par la blessure. Il y aura des traces de poudre sur la peau, ce qui est excellent pour satisfaire les médecins légistes... Voyons... Tout est en ordre ?... La pose du corps est naturelle ?... Oui... Alors, allons prévenir le maître d'hôtel avec la mine affligée qui convient et envoyons le chauffeur chercher un docteur dont les soins seront parfaitement inutiles.

Le sang-froid avec lequel Varichkine avait agi me semblait quasi surnaturel. Je le suivis sans rien répondre. Avant d'ouvrir la porte, il me regarda. Ses yeux redevinrent humains. Sa voix se fit plus douce. L'émotion voila enfin son accent. Il me demanda presque humblement :

— Croyez-vous qu'après cela, Lady Diana consentira tout de même à m'épouser ?

— J'en doute, mon cher.

Il soupira. Il sortit le premier. Je me retournai pour jeter un dernier regard sur cette petite femme vêtue de beige, coiffée d'une toque de daim, étendue sur le tapis, les bras en croix, les mains inertes. Il me semblait qu'un spectre mélancolique, accablé par la douleur, rôdait autour d'elle : c'était le bourreau de Nikolaïa, le monstre silencieux au front bas, le gorille de la Tchéka, au poignet tatoué de l'étoile rouge.

20

La gare de l'Est. Tout à l'heure, à l'hôtel Crillon où nous sommes descendus, j'ai dit à Griselda que j'avais encore un devoir à remplir. Nous n'aurons pas assisté au mariage projeté, dans les salons du château de Glensloy. Mais je tiens à dire adieu à Lady Diana qui, à deux heures, partira par l'Orient-Express pour une destination inconnue.

Je l'attends sur le quai. Il est une heure et demie. Les premiers voyageurs s'insinuent dans les couloirs des wagons-lits étiquetés Vienne-Belgrade-Bucarest-Constantinople. Un chariot surgit, chargé de deux valises et d'un nécessaire en crocodile mauve que je reconnais. Derrière l'homme d'équipe, Lady Diana paraît : symphonie en gris perle, depuis le petit chapeau poignardé d'une barrette de diamants jusqu'au bout des souliers en peau de serpent assortie, sans oublier le foulard camaïeu qui cache à demi dans ses plis soyeux le sautoir très orienté.

Lady Diana, en tenue de voyage, marche, légère, sur le quai ensoleillé. Un sourire éclaire son visage pur. L'indifférence du lendemain avive le bleu de ses prunelles. Quelle miraculeuse métamorphose depuis le jour fatidique où nous échangions des propos bordés de noir sur un lac bordé de roseaux!

— Ah! Gérard!... Déjà là!... Comme c'est gentil... Vraiment vous aurez été pour moi jusqu'au bout l'un de ces chevaliers fidèles dont rêvaient les châtelaines au temps où Marie Stuart se compromettait avec Bothwell... Porteur... ces trois valises dans le wagon-lit n° 4... Voilà vingt francs... Pour jouer aux courses dimanche prochain...

Lady Diana me prit le bras et m'entraîna vers la tête du train:

— Mon cher Gérard, j'ai beaucoup réfléchi depuis que madame Mouravieff a failli exaucer mon vœu d'un jour... Figurez-vous que le drame de Glensloy m'a décidément rendu le goût de vivre... Encore un contraste de ma nature fantasque, direz-vous? Eh oui! Quand on a tiré la langue à la camarde et qu'elle a failli vous emporter, on nourrit à son égard un respect inattendu... Penser que, pour mourir plus sûrement, je me suis accusée devant cette Slave impétueuse d'avoir été la maîtresse de ce doux bolchevik! Quelle aberration! Quelle folie! Il est vrai que la ruine de mes projets au Caucase m'avait totalement bouleversée.

Nous étions arrivés *dead-heat* avec la locomotive. Nous fîmes demi-tour. Je répliquai:

— En tout cas, Varichkine vous a sauvée, s'il ne vous a pas enrichie.

— Assurément... D'un pipeline au canon d'un petit revolver, il n'y a pas plus loin que du sourire d'une femme au rictus de la mort... Rêvez-vous encore de ce drame, Gérard ? Moi, pendant trois jours, j'ai été hantée toutes les nuits par la prunelle d'acier de cette arme soudain braquée sur moi... Je voyais la Mouravieff s'écroulant sur mon tapis, poupée rageuse subitement détraquée... Et puis le verdict du jury, convaincu comme le coroner que la Russe s'était tuée, m'a rendu le sommeil... J'ai été plus affligée de signifier son congé à Varichkine que d'évoquer la mort de sa maîtresse infortunée.

— Comment a-t-il accepté votre décision ?

— Stoïquement.

Nous avions battu d'une demi-longueur le fourgon de queue. Nous fîmes encore demi-tour. Lady Diana reprit :

— J'ai dit des choses très sensées à Varichkine... Je lui ai dit : « Mon cher, pourquoi voudriez-vous que nous eussions une vie malheureuse, étriquée, difficile ?... Vous, un raté de la politique, puisque vous n'êtes même pas capable d'exploiter votre situation de communiste éminent pour arrondir votre compte en banque, et moi, une épave de la haute société, puisque je n'ai plus pour figurer dans le monde que mes perles et des biens immobiliers hypothéqués jusqu'aux girouettes ?... Je ne vous aime pas au point de vous rabaisser au rang de gigolo... D'autre part, je vous estime tout de même assez pour ne pas transmuter vos poumons en

337

branchies... Alors, croyez-moi... Il vaut mieux que nous nous séparions, loyalement. Vous retournerez à Moscou où les petits camarades vous réserveront un fromage dans la Tchéka et moi, je dépenserai mes dernières bank-notes à pérégriner sur le vaste continent... Je reprendrai par nécessité la vie errante que je menais jadis pour obéir à mes caprices.

— En somme, Diana, où allez-vous?

— J'ai un billet pour Constantinople. Mais il se peut que je m'arrête à Vienne ou à Budapest... Cela dépendra du hasard ou de la couleur des yeux de mon voisin de compartiment. J'ai retenu des appartements à l'Impérial, sur le Ring et à l'Hungaria, sur le quai de Pest; mais je dormirai peut-être dans un hôtel borgne de la Josephstadt ou dans un palais sur la colline de Buda... Je me sens très ouverte aux suggestions de l'imprévu... Ma vie depuis six mois a été monotone, ne trouvez-vous pas, Gérard? Il est grand temps que je pimente mon menu et caracole sans but précis dans la pampa de l'Aventure. Oiseau migrateur lâché de nouveau de capitales en villes d'eaux, je nicherai au hasard de mon désir, je chanterai au clair de lune quand il me plaira et je me mettrai en boule sous l'averse des déceptions ou les giboulées du mensonge. Je renie hautement les propos pessimistes que j'ai tenus à Glensloy, mon cher... La vie est toujours belle. Les hommes ne seront jamais moins bêtes. Et je me donne six semaines pour découvrir l'imbécile qui pourvoira à mes fantaisies et fera mûrir dans mon coffre les pommes d'or du jardin des Hespérides...

— Diana, je suis ravi de vous retrouver dans ces dispositions optimistes. Je savais bien qu'une femme comme vous ne pouvait pas s'avouer vaincue et périr de désespoir ainsi qu'une midinette amoureuse ou une douairière qui a perdu son greluchon.

— Il n'y a qu'une ombre sur ma route, Gérard... C'est la tristesse de vous quitter... Nous avons vécu la même vie, depuis six mois ; mariés, nous n'aurions pas été plus proches l'un de l'autre... moralement, bien entendu, puisque le sort n'a décidément pas voulu que nous trouvions un soir le gué du Rubicon... Mais notre union mentale, notre union spirituelle, a été complète... Cette affection si tendre, cette amitié un peu amoureuse ne sont pas de celles qu'on oublie... Au cours de mes insomnies futures, je conserverai le souvenir merveilleux d'un ami qui fut un galant homme... Quand je regarderai votre portrait, que j'emporte dans mon sac de crocodile mauve, j'aurai le cœur serré et je murmurerai comme Hamlet tenant le crâne d'Yorik : « C'était un homme d'infiniment de tact et de loyauté... Il a connu les pires secrets de ma vie et a risqué la sienne pour que le Luxe aux yeux d'or ne déserte pas le seuil de ma maison... » Oui, Gérard, je dirai cela quand je contemplerai cette chère vieille photo que vous m'avez donnée le soir de Christmas, en échange de notre premier baiser fraternel sous le guide Berkeley Square...

La main de Lady Diana s'était appesantie sur mon bras. Je m'arrêtai, plus ému que je ne le paraissais. Je répondis, la gorge serrée :

— Vos paroles me touchent infiniment, Diana... Laissez-moi vous dire que notre amitié secrète est la seule chapelle dans laquelle j'aimerais à m'agenouiller, afin de prier pour votre bonheur à venir.

— Bah !... Le bonheur est une énigme... Ceux qui la résolvent deviennent millionnaires ou misogynes... Étant déjà quelque peu misanthrope, j'espère qu'il ne me restera plus qu'à redevenir millionnaire... Tandis que vous, Gérard, tout vous sourira désormais... L'Amour et l'Argent... La princesse Séliman vous attend, reconquise... La sérénité la plus parfaite vous guette au coin de l'Eldorado.

— Je ne pense pas à moi, Diana, qui suis parfaitement heureux avec Griselda... Mais à vous...

L'heure du départ était imminente. Les retardataires se hissaient sur les marches et des bras happaient des valises par les fenêtres ouvertes. Le wagon avalait des bagages et rendait les amis des voyageurs.

Lady Diana mit ses deux mains gantées de suède gris sur mes épaules et, les yeux soudain embués de larmes, elle murmura :

— Gérard... notre dernier baiser, peut-être ?

J'étais si troublé que je ne bougeai pas. Alors, très doucement, ses lèvres baisèrent les miennes... Caresse de velours sur mon cœur qui battait...

Dictame merveilleux sur la blessure du départ...
Je bégayai :

— Diana... Dieu vous garde...

Elle ferma les yeux pour arrêter ses larmes
et dit :

— Merci, Gérard... Mon grand ami... Mon
chevalier errant...

Le chef de train nous invita à monter. Lady
Diana sauta, légère. Elle reparut dans l'encadrement de la vitre baissée, tandis que la locomotive toussait avant de réciter la litanie
monotone de sa chaudière en travail. Je vois
encore le visage et les boucles blondes entre le
chapeau et le foulard gris. Je vois encore les
grands yeux humides, douloureux comme ceux
des vierges du Corrège... Regard chargé de tendresse... Muet adieu de la Femme à la conquête
d'un Graal rempli de chèques barrés... Dernière pensée de la voyageuse sur un chemin de
Damas flanqué de palaces fleuris et de gemmes
éblouissantes. Que lui réserverait le hasard
au bout de sa route ? Un parc festonné d'orchidées ou un coin de cimetière ombré de
cyprès ? Un trône d'or massif ou une table d'opération ? Les bras d'un amant ou les doigts d'un
étrangleur ?

Le train partait. La chère petite main gantée
de gris s'agita encore... Je répondis avec mon
feutre. Longtemps, je demeurai sur le quai, chapeau bas, devant le convoi funèbre d'une amitié
qui s'en allait et qui ne me reviendrait peut-être
jamais. Je ne bougeais pas. Une lourde mélan-

colie me figeait au bord de la voie déserte. Mes yeux suivaient la courbure des rails au long desquels le train avait disparu, le train de luxe qui emportait la Madone des Sleepings vers sa nouvelle destinée.

Achevé d'imprimer
en juillet 2008
par Printer Industria Gráfica
pour le compte de France Loisirs, Paris

Numéro d'éditeur : 52413
Dépôt légal : août 2008
Imprimé en Espagne